L'HOMME EN QUESTIONS

Du même auteur

Histoire paradoxale de la IVe République, Grasset, 1954.
Les Greniers du Vatican, Fayard, 1960.
Voyage au pays de Jésus, Fayard, 1965.
Le Sel de la terre, Fayard, 1969.
Dieu existe, je L'ai rencontré, Fayard, 1969.
La France en général, Plon, 1975.
Il y a un autre monde, Fayard, 1976.
Les Trente-Six Preuves de l'existence du diable, Albin Michel, 1978.
L'Art de croire, Grasset, 1979.
Votre Humble Serviteur, Vincent de Paul, Le Seuil, 1981 (réédition).
La Baleine et le Ricin, Fayard, 1982.
La Maison des otages, Fayard, 1983 (réédition).
« N'ayez pas peur! » dialogue avec Jean-Paul II, Laffont, 1983.
L'Évangile selon Ravenne, Laffont, 1984.
Le Chemin de la Croix, Desclée de Brouwer/Laffont, 1986.
« N'oubliez pas l'amour », La passion de Maximilien Kolbe, Laffont, 1987.
Le Crime contre l'humanité, Laffont, 1987.
Le Cavalier du quai Conti, Desclée de Brouwer, 1988.
Portrait de Jean-Paul II, Laffont, 1988.
Dieu en questions, Desclée de Brouwer/Stock–Laurence Pernoud, 1990.
Le Monde de Jean-Paul II, Fayard, 1991.
Les Grands Bergers, Desclée de Brouwer, 1992.
Excusez-moi d'être Français, Fayard, 1992.
Le Parti de Dieu. Lettre aux évêques, Fayard, 1992.

André Frossard
de l'Académie française

L'Homme en questions

Stock

Avant-propos

L'âge moyen des élèves de terminale (qui sont à l'origine de ce livre) est celui des grands émois dits sentimentaux, sur lesquels les médias ne nous laissent pas manquer d'informations. Mais c'est aussi celui où l'esprit, encore libre des engagements et des responsabilités de la vie sociale, s'interroge sur lui-même et sur le sens de l'existence, avec une acuité que les tracas et les tracassins de la vie quotidienne ne tarderont pas à émousser. Dans Dieu *en* questions, *l'auteur a donné aux inquiétudes de cet âge métaphysique les réponses de la foi. Il se montre ici un peu plus terre à terre, et il s'efforce, à l'intention des élèves qui lui ont fait l'honneur de l'interroger, de tirer une*

L'Homme en questions

morale de sa longue et parfois cruelle expé-
rience du monde.
Et cette morale tient en deux mots : aimer,
ou ne pas aimer.

A.F.

Qu'est-ce que l'homme ?

C'est « un animal capable d'apprendre », nous dit le professeur Jacob ; « capable de créer », nous dit le professeur Bernard ; pour Nietzsche, « l'homme est une maladie de l'homme » ; pour Jean-Paul Sartre, « une passion inutile ». Selon le professeur Debray-Ritzen, c'est un singe qui essaie de s'en sortir, proposition fort acceptable, si l'on ne tient pas à remonter d'ancêtre en ancêtre jusqu'au cœlacanthe. Pour les judéo-chrétiens, c'est un être créé à la ressemblance de Dieu, qui ne ressemble à rien de connu. Les Anciens voyaient en l'homme un « animal raisonnable », ou « politique », et Pascal, dans une page d'ailleurs admirable de poésie, décrit l'homme comme un être fragile, mais « qui sait qu'il va mourir », ce qui fait sa supériorité sur l'ouragan des forces inconscientes de l'univers, etc. Cette multitude d'opinions montre qu'il n'y a pas de réponse à la question.

Cependant, l'homme s'interroge sur lui-même, ce qui n'est le cas d'aucun autre animal.

L'on ne peut définir l'homme par telle ou telle de ses capacités, fût-ce par l'aptitude à raisonner, car il y a une ébauche de raisonnement dans la tête du renard aux aguets devant le poulailler; on ne peut non plus tirer argument de sa vague ressemblance avec le chimpanzé. Les réflexions de Nietzsche et de Jean-Paul Sartre sont d'obscurs paradoxes de littérateurs revenus d'une investigation infructueuse dans les profondeurs de la nature humaine, et ne valent pas que l'on s'y arrête, si ce n'est pour mettre en évidence la difficulté du problème. La page lyrique de Pascal est certainement la plus belle et la plus forte qui ait jamais été écrite sur le caractère pathétique de la condition humaine, mais elle ne nous offre pas la prise d'une définition. Les sciences étant dans une incertitude aggravée par les progrès qu'elles accomplisssent tous les jours en biologie, en neurologie et en génétique, c'est encore la Bible qui aura aujourd'hui le dernier mot, après avoir eu le premier : l'être humain – homme et femme – a été, dit-elle, créé par Dieu « à Son image et à Sa ressemblance ». Or, Dieu n'étant ni visible ni compréhensible – au sens où notre intelligence pourrait le circonscrire et l'intégrer –, cette « image » et cette « ressemblance » se rapportent à un être dont nous ne savons que ce qu'il veut bien nous dire de lui-même, de sorte que subsiste en nous comme chez lui une part d'inconnu qui est probablement la meilleure, et que l'on peut dire en fin de compte que l'homme, de même que Dieu, est un mystère pour l'homme.

Toutes les erreurs et toutes les folies idéologiques ont toujours consisté à nier cette part de mystère, ou à tenter de l'éradiquer.

Un singe?

« L'homme descend du singe » : cette révélation du naturaliste Haekel, qui vivait au XIXᵉ siècle, a été parfois mise en doute sans jamais être réfutée. La biologie la plus récente semblerait plutôt la confirmer. Il n'y a guère, en effet, que la différence d'un chromosome entre l'homme et le chimpanzé.

Cependant, il suffit aussi d'une différence d'un chiffre pour gagner ou perdre à la loterie.

L'idée que l'être humain soit sorti des mains d'un Créateur était fortement antipathique aux naturalistes du XIXᵉ siècle. En établissant une filiation entre l'homme et le singe, ils pouvaient espérer, remontant pour ainsi dire de branche en branche, aller du singe au poisson, puis au protozoaire, et finalement aux particules élémentaires, en ne faisant jamais appel qu'à la magie naturelle de l'évolution, théorie inspirée par le souci bourgeois de ne rien devoir à personne.

Alors que l'idée d'un acte créateur ne demande qu'un seul miracle, celle de l'évolution en exige au moins un par seconde depuis le bouillonnement des particules initiales, mais cette difficulté n'a jamais découragé les successeurs de Haekel, ni les singes, qui se tiennent toujours prêts à nous reproduire, et dont on se prend parfois à penser qu'ils seraient bien inspirés de nous remettre en chantier.

Sommes-nous peu de chose?

Pendant des siècles, l'homme s'est imaginé qu'il était à la fois au centre et au sommet d'un univers créé pour lui. Cette conception du monde « géocentrique » conférait à l'espèce humaine une importance excessive, ramenée à sa juste mesure par les découvertes de Copernic et de Galilée : la Terre n'est qu'une gouttelette dans l'océan des étoiles, et l'homme une palpitation imperceptible sur cette gouttelette. « Un ver sur une croûte de fromage », a dit un poète. De plus, il est hautement probable qu'il existe, dans l'immense champ du ciel, d'autres planètes de formation plus ancienne que la nôtre et par conséquent habitées par des êtres infiniment plus évolués que nous. L'astronomie de Galilée, l'astrophysique moderne nous ont assigné notre juste place en fixant notre exacte dimension. Nous ne sommes qu'un presque rien éphémère dans un espace incommensurable.

Cependant, ce presque rien est la seule conscience vivante de l'univers connu.

Réduire l'être humain à sa dimension physique est aussi absurde que de faire du *Requiem* de Mozart une question de décibels, ou de mépriser *La Dentellière* de Vermeer sous prétexte qu'on ne l'aperçoit pas de la Lune. On devrait savoir depuis Pascal que l'homme occupe une position médiane entre l'infiniment grand et l'infiniment petit. Si, vue de loin, sa dimension physique est insignifiante, sa dimension spirituelle dépasse tous les points d'observation imaginables.

D'où venons-nous?

Ce sujet a été traité dans *Dieu en questions*, mais il n'est pas mauvais de le reprendre ici : nous venons d'une explosion initiale, le « big-bang », qui a donné naissance à l'univers. Bien qu'elle soit contestée depuis quelque temps, cette théorie peut avancer nombre de preuves en sa faveur, et elle est même admise par l'Église qui lui voit des points communs avec sa propre doctrine de la Création.

Cependant, le « big-bang » fait sauter aussi la logique : si, en un instant donné, tout se trouvait concentré en un point, ce point était partout et ne pouvait exploser nulle part.

L'Homme en questions

La théorie du « big-bang » est une explication matérialiste de l'univers incapable de
rendre compte de l'apparition de la
conscience humaine. On pourrait aussi bien
expliquer la première automobile par
l'explosion d'un concentré de vapeur
d'essence. Il resterait à montrer comment
l'automobile a créé le chauffeur.

L'homme est-il bon ?

Jean-Jacques Rousseau l'a montré, l'homme est bon par nature, et c'est la société qui le corrompt. De même ses institutions politiques le dénaturent en le contraignant tantôt à l'hypocrisie, tantôt à la révolte, donc au mensonge et à la violence. Un mode de vie plus conforme à la nature ferait apparaître sa bonté, que de saines institutions politiques, vides de contraintes, accentueraient encore au lieu de la contrarier. C'est la religion, en particulier la doctrine du péché originel, qui a persuadé les hommes que leur nature était viciée et que toute loi n'a pour fin que de les corriger, pensée funeste en ceci que la coercition n'engendre jamais que la crainte et la rébellion.

Cependant, si l'homme était bon par nature, il lui suffirait de libérer tous ses instincts pour être parfait, ce que personne n'a jamais osé soutenir.

Comme d'habitude, Jean-Jacques Rousseau a raison et tort à moitié. L'homme n'est ni bon ni mauvais « par nature »; il est simplement, « par nature », apte au bien et au mal. Le convaincre qu'il n'est corrompu, quand il l'est, que par la société, c'est lui ôter le bon usage de sa conscience et le diminuer au lieu de le grandir.

Quant à la doctrine judéo-chrétienne du péché, elle est admirable, car le péché reconnu mène au pardon, qui est un étonnant surcroît de charité divine.

La matière et l'esprit?

La matière est une réalité tangible dont l'existence n'est pas à démontrer. Tout ce qui nous environne est matériel, comme nous le sommes nous-mêmes, tant il est clair que nous sommes le produit d'éléments chimiques dont la nature nous est parfaitement connue.

Quant à l' « esprit », c'est un mot joker qui nous sert à désigner le résultat de certaines opérations du cerveau, un peu comme nous appelons « musique » ce qui provient de la manipulation des instruments à cordes ou à vent. L'être humain n'est pas plus fait « de matière et d'esprit » qu'un accordéon n'est fait d'un soufflet à touches et d'une valse musette.

Le vieux dualisme de la matière et de

l'esprit n'a plus cours aujourd'hui. L'esprit n'est qu'une forme subtile d'existence de la matière.

Cependant, à considérer le programme génétique de l'être humain, on pourrait tout aussi bien dire que la matière n'est qu'une forme lourde d'existence de l'esprit.

En vérité, la matière en soi est insaisissable, elle échappe non seulement à la prise et à l'observation, mais encore au concept, si bien que l'on pourrait affirmer sans paradoxe que dans la nature tout est matériel, excepté la matière.

À l'opposé, l'esprit ne se laisse pas mieux appréhender. Personne n'a jamais vu l'esprit se manifester indépendamment d'un corps, à l'exception des adeptes du spiritisme qui ne lui accordent pas d'autre moyen d'expression qu'un pied de table.

Nous sommes ainsi placés entre deux mystères absolus : d'un côté la matière, évidence quotidienne, et de l'autre l'esprit, que l'on ne prouve jamais mieux qu'en le niant.

L'Homme en questions

Ces deux défis opposés à l'intelligence inspiraient autrefois aux hommes un sentiment dont ils avaient fait une vertu géniale : l'humilité, grâce à laquelle se font toutes les découvertes.

L'homme préhistorique?

Les peintures rupestres sont significatives : l'homme préhistorique avait une pensée religieuse de type normalement prérationnel, et l'on peut considérer les animaux représentés sur les parois de ses cavernes comme des offrandes symboliques à ses dieux. On possède naturellement peu d'éléments permettant de se faire une idée des croyances de ce temps lointain, mais les documents que l'on possède sur les périodes un peu plus récentes (graphismes, figurines, etc.) indiquent clairement que l'homme des premiers âges était un être profondément religieux, adonné aux offrandes rituelles.

Cependant, les bisons de Lascaux sont en mouvement, ce qui ne correspond pas à ce que l'on vient de dire.

Il y a chez les archéologues et les anthropologues une propension à voir de la religion partout. La moindre statuette de terre cuite ou de bois est à leurs yeux une idole ou un objet de culte, et l'idée ne leur vient jamais que les hommes des premiers âges pouvaient offrir des poupées à leurs enfants. Si des archéologues de l'an 20 000 découvraient un intérieur bourgeois de 1900 enseveli par un cataclysme, ils ne manqueraient pas de voir, dans la cheminée du salon, un autel familial abritant le feu sacré, dans les chandeliers des supports de cierges propitiatoires, et des dieux lares dans les bronzes de Barbedienne encadrant la pendule chargée de sonner l'heure des offices. On ne saura rien d'intéressant sur l'homme préhistorique tant que l'on n'aura pas guéri les archéologues et les anthropologues de leurs obsessions religieuses.

En attendant, tout ce que l'on peut dire de cet ancêtre méconnu est qu'il avait, à en juger par ses dessins, une grande finesse de perception, beaucoup de délicatesse, un amour sincère de la nature, une sensibilité toujours en éveil et toutes autres qualités qui ont disparu depuis en grande partie des arts et des lettres.

Pourquoi y a-t-il du mal sur la terre?

Il n'y a pas de réponse globale au problème. En effet, le mal est de quatre sortes : le mal naturel, le mal physique, le mal accidentel ou malheur, et le mal moral. Le moins explicable, du point de vue religieux, est le mal naturel (le mal des trois autres sortes est évoqué tout au long de ce livre). Le mal naturel comprend les fléaux géologiques, atmosphériques, voire cosmiques, qui prouvent que l'idée de Dieu est une idée fausse, car il est écrit au premier chapitre de la Bible : « Et Dieu vit que sa création était bonne, et même très bonne. » Or il est manifeste qu'elle ne l'est pas, les éruptions volcaniques, les raz de marée et autres mouvements dévastateurs de la planète dont les hommes ont à souffrir montrant plus que suffisamment qu'elle est mauvaise.

Cependant, si, au premier livre de la Genèse, Dieu constate en effet que Sa création est bonne, Il ne dit nulle part qu'elle est parfaite.

Divergentes en apparence, la démarche de l'athée et celle du croyant sont en réalité parallèles.

Pour l'athée, la lente formation de l'univers à partir du « big-bang » originel ne peut évidemment se faire sans accrocs, inégalités de développement, remous et déchets.

Pour le croyant, l'état de perfection régnait dans le jardin d'Eden, et ne s'étendait pas au reste du monde dont Adam avait à prendre possession, pour le dominer et le parfaire, mission que le péché originel l'a mis hors d'état d'accomplir.

Dans les deux hypothèses, la Création est inachevée, et cette situation ne prouve rien ni pour ni contre Dieu.

L'amour physique ?

On a beaucoup parlé de l'amour dans *Dieu en questions*, où toutes les réponses sans exception s'inspiraient de la formule de l'évangéliste Jean : « Dieu est amour. » Mais on n'y a rien dit de l'amour physique, sujet rebattu auquel on ne consacrera ici que quelques lignes. Ce n'est en effet qu'un phénomène banal d'attraction qui se répète de l'atome à la galaxie : il suffit d'observer l'amorce de rotation d'une jeune femme en déplacement pour se faire une idée déjà scientifique de la gravitation universelle. L'accouplement est un exercice banal, qui n'obéit qu'aux lois du désir et de l'assouvissement, et auquel il est tout à fait inutile de superposer une morale ou une spiritualité illusoires.

Cependant, l'amour physique lui-même a sa morale, surtout quand il n'en a pas.

Rien n'est dangereux comme de donner congé à son âme pour s'adonner au plaisir purement physique. On s'aperçoit alors, tôt ou tard, que si « tout bonheur que la main n'atteint pas n'est qu'un rêve », celui qu'elle atteint est poussière.

Le sexe?

C'est l'organe de la reproduction et du plaisir, encore qu'il soit plus judicieux d'inverser les termes du discours et de placer le plaisir avant la reproduction; car ce n'est pas la satisfaction d'engendrer qui procure le plaisir, mais le plaisir de l'accouplement qui favorise la propagation de l'espèce : il ne peut y avoir génération sans plaisir, mais il peut y avoir plaisir sans génération. Ce dernier point est très important, et bien des religions s'y sont trompées, de sorte que le sexe, au cours des âges, a été l'objet d'innombrables tabous, aujourd'hui tous abolis, sauf un : l'inceste, encore à peu près universellement réprouvé. Si le paganisme a eu tort de décerner des adorations indues à l'instrument d'une fonction des plus naturelles, l'erreur du christianisme a été de considérer l'assouvissement charnel comme un péché, et même comme le péché par excellence, primordial et originel. Autant condamner l'appétit.

De nos jours, le sexe est considéré comme un attribut de première importance, puisque – cas unique parmi les animaux – il précède l'homme dans tous ses déplacements. Il a fait éclore d'innombrables vocations de sexologues, qui suivent ses manifestations avec un intérêt purement scientifique, de manière à le remettre enfin à sa place, qui est la première, et de lui ôter tout caractère moralement nocif.

Cependant, le sexe n'est pas inoffensif.

Lorsque les hommes détournent leur regard du ciel pour le reporter sur la terre, la première chose qu'ils aperçoivent est leur sexe, dont ils font volontiers une petite divinité de remplacement dans la mesure où il détient, apparemment, le secret de la vie et promet, à défaut d'éternité, la compensation d'une sorte de perpétuité biologique. Cette idolâtrie plus ou moins consciente est aujourd'hui des plus répandues : le sexe tient de plus en plus de place dans la littérature, au cinéma et surtout à la télévision où il se voile très légèrement de sociologie, de psychanalyse ou de statistique. Après le film et sa séquence obligatoire de copulation publique, il n'est guère de programme télévisé qui ne comporte un débat sur la manière de réussir ou de rater ses accouplements, sans que les malheureux invités se rendent compte que la caméra fouineuse, en filmant volontiers leurs verrues ou leurs trous de nez, incite moins aux imaginations folâtres qu'à de sombres méditations sur le crâne de Yorick.

En outre, il faut bien constater que l'idole est sujette au fléchissement, et les moyens de la ranimer sont les mêmes dans toutes les périodes de décadence morale : c'est l'échangisme, le sadisme, le masochisme ou la combinaison de ces deux perversions, la violence, la cruauté, ou cette bisexualité où le sexe ne sait plus lui-même s'il est mâle ou femelle. Avant de sombrer dans les ignominies de leurs basses époques, les Anciens pratiquaient la pudeur, non par superstition ou crainte religieuse, mais parce qu'ils avaient compris ou deviné ce que le monde moderne apprendra bientôt à ses dépens, à savoir que les organes de la vie, quand on en fait un étalage qui rompt leurs liens secrets avec le cœur et l'âme, peuvent aussi bien mener à la mort.

Le sida est-il un châtiment du ciel?

C'est ce que voudraient nous faire croire certains moralistes de la vieille école. Or, la religion elle-même, s'appuyant sur l'Évangile, a tranché par la négative la question du rapport entre le péché et la maladie : celle-ci n'est pas le salaire de la faute (à supposer qu'il y ait péché à s'exposer à la contamination par le virus HIV). Au surplus, les évêques de France ont publié, pour bannir toute superstition à cet égard, un communiqué déclarant expressément que le sida n'était pas une punition du ciel.

Cependant, il n'est pas mauvais d'ajouter que ce n'est pas non plus un encouragement.

L'Homme en questions

Il est inutile et même dangereux pour la religion de faire intervenir le ciel à tout propos, car si l'on devait considérer qu'il punit aussitôt certaines fautes, on se demanderait immédiatement pourquoi il en tolère tant d'autres, et souvent plus graves, qu'il ne châtie pas. C'est le cas de citer la formule décisive du généticien Jérôme Lejeune : « Dieu pardonne toujours, les hommes, quelquefois, la nature, jamais. » Or, la nature seule est impliquée dans la maladie en question. C'est donc à la science qu'il revient de découvrir ses causes.

Des préservatifs à l'école?

L'État, qui par l'intermédiaire de la Sécurité sociale assume les frais de la maladie, est fondé à prendre toutes mesures utiles pour la prévenir. Or, le sida se communiquant le plus souvent par le sexe, il est normal que l'État se préoccupe de l'usage que l'on en fait et des moyens permettant d'éviter que le mal ne se répande. Parmi ces moyens, le seul dont l'efficacité soit reconnue étant le préservatif, il est logique que l'État le mette à la disposition de la jeunesse. Lorsque l'Église s'y oppose, ou en tout cas s'abstient d'en recommander l'emploi, on peut dire avec beaucoup de bons esprits qu'elle se rend coupable de « non-assistance à personnes en danger ».

Cependant, on ne peut espérer vaincre les incendies de forêt en se bornant à multiplier les combinaisons d'amiante, tout en permettant aux promeneurs de mettre le feu aux broussailles.

En prenant notre sexe en main de fort bonne heure, l'État croit agir pour le mieux, et ne fait qu'organiser le pire. En effet, l'efficacité du préservatif n'est pas totale, les statistiques établies dans le domaine de la contraception le prouvent, et si 10 pour cent d'échecs (chiffre généralement admis) en matière de contrôle des naissances ne font jamais qu'une école maternelle de plus, en matière de sida ils prennent l'étendue d'un cimetière militaire. En laissant croire aux enfants que le moyen mis obligeamment à leur disposition suffit à les protéger, on encourage les expériences multiples qui favorisent l'extension du fléau. C'est lui, l'État, qui pourrait être accusé, non pas de « non-assistance à personnes en danger », mais de mise en danger des personnes.

L'Homme en questions

Quant à l'Église, on ne l'imagine pas encourageant indirectement des pratiques comportant des risques graves sur lesquels on entretient un silence effrayant.

La contraception en bas âge?

Chaque année, en France, six mille très jeunes filles se trouvent enceintes et, par conséquent, placées devant l'alternative d'un avortement, ou d'une maternité dont elles ne peuvent assumer les charges et les responsabilités. La plupart d'entre elles, de même que leurs jeunes partenaires, ne connaissent aucun moyen pratique d'échapper à l'éventualité d'une grossesse. Le gouvernement est donc bien inspiré d'offrir des manuels de contraception aux enfants des écoles dès qu'ils ont atteint l'âge critique de quatorze ans, qu'il serait peut-être indiqué de ramener à douze pour les filles. Il est moins onéreux pour l'État d'imprimer des opuscules que de prendre en charge les suites d'une

ignorance à laquelle il est facile de remé-
dier.

Cependant, l'on a l'impression pénible
que si les enfants de quatorze ans ne
voient pas toujours la portée de leurs
actes, l'État ne mesure pas mieux celle
des siens.

En effet, l'acte sexuel ne met pas en jeu
que l'appareil génital, il implique également, qu'on le veuille ou non, le cœur, la
sensibilité, l'intelligence et, finalement,
toute la personne :
le cœur, que l'on ne peut pas toujours
faire taire, et qui risque de perdre la plus
belle de ses facultés, qui est de se donner
une fois pour toutes ;
la sensibilité, qui s'émousse rapidement
et ne retrouve ses émotions qu'au prix
d'exercices de plus en plus compliqués et
de moins en moins recommandables, qui
peuvent conduire à la férocité pure ;
l'intelligence, que les assouvissements
trop faciles mènent au mépris, à une
vision misérablement réduite de l'être

humain, et à une inaptitude définitive à la vérité;

enfin, la personne, qui forme un tout et dont on ne peut user au détail sans ruiner l'unité qui est le principe même de son existence.

L'homosexualité ?

Ce qui est homogène est plus fort que ce qui est hétérogène ; par conséquent, l'homosexualité est supérieure à l'hétérosexualité. En tout cas, c'est une activité sexuelle normale et que l'on peut même dire plus naturelle qu'une autre, puisqu'elle associe deux êtres de même nature. Les Anciens lui trouvaient plus de goût qu'aux amours ordinaires, et il semble au surplus qu'à cet égard tous les préjugés soient tombés, même dans l'Église : le nouveau catéchisme universel commande de traiter les homosexuels « avec respect ».

Cependant, si l'homosexualité était naturelle, la nature n'aurait produit qu'un sexe.

1. L'argument tiré du vocabulaire n'est qu'un mauvais jeu de mots, facilité par le langage de la sexologie, incapable de parler des choses simples en termes simples et qui ne voit absolument rien d'anormal dans son domaine, excepté la morale.

2. Les Anciens n'étaient vraiment pas exemplaires en tout, et, en l'espèce, leur caution ne vaut rien. Les Athéniens admettaient l'esclavage, les Carthaginois pratiquaient les sacrifices humains ou enfournaient des enfants dans la gueule embrasée de Baal.

3. L'homosexualité peut avoir tant de causes physiologiques ou psychologiques pour la plupart indéchiffrables qu'il ne saurait être question de porter un jugement sur ses adeptes. C'est ce que veut l'Église, qui condamne le péché sans jamais condamner le pécheur. Elle entend que l'homosexuel soit pour nous un prochain comme un autre, et elle croit se faire mieux comprendre en parlant du « respect » qui lui est dû. Il n'est pas sûr que le mot, qui surprend un peu comme une politesse exagérée, soit bien reçu des homosexuels eux-

mêmes, qui risquent de se sentir traités en infirmes avec les ménagements d'usage.

4. Il est vrai qu'à l'égard de l'homosexualité, « les préjugés sont tombés », mais il est vrai aussi que, dans son incomparable lâcheté, la société contemporaine préfère légaliser les erreurs plutôt que les combattre. Or l'homosexualité est d'abord une erreur sur la personne. Il paraît que parler ainsi fait vieux jeu, alors qu'il est on ne peut plus moderne de se conduire comme des réchappés de Sodome. Quant au fait que les homosexuels associés aux bisexuels fournissent le gros du malheureux contingent des séropositifs, on n'en tire bien entendu aucun enseignement qui pourrait en sauver quelques-uns.

Qu'est-ce qu'une femme?

La femme est la compagne de l'homme : « Faisons-lui une aide semblable à lui », dit Dieu dans le Livre de la Genèse. Elle lui est donc subordonnée, donc inférieure. D'ailleurs, le même Livre précise qu'elle a été tirée d' « une côte d'Adam », origine qui fait d'elle un être purement complémentaire. Du reste, sa force musculaire est moindre, son cerveau plus léger, et elle pâtit de divers handicaps ou incommodités comme le cycle menstruel, ou la grossesse qui la rend inapte à nombre de tâches. Enfin, elle n'a jamais rien créé d'important dans les domaines les plus élevés de la culture, de l'art et de la pensée pure, comme on le verra dans un autre chapitre.

Cependant, elle a la beauté, et la beauté, on l'a dit, est le résultat de la combinaison harmonieuse du Bien, du Vrai, et de l'Un.

1. Qu'elle soit une « aide » n'implique nulle subordination. Cela signifie qu'elle n'est pas faite pour elle-même : le savoir lui confère une supériorité sur l'homme, victime généralement consentante de son égoïsme.

2. Selon le Talmud, ce mot « côte » serait à prendre ici au sens de « rivage », de « littoral » : la femme, comme la mer, commencerait là où l'homme finit. Il serait la terre, elle serait la mer avec ses houles, ses tempêtes et sa secrète fertilité, sans parler de la dentelle de ses jupons d'écume.

3. Le poids du cerveau ne signifie rien. Einstein et Lénine avaient des cerveaux d'un poids inférieur à la moyenne.

4. La force musculaire ne prouve nulle supériorité. Karl Marx sautait sûrement moins loin que Carl Lewis.

5. Les prétendus handicaps et incommodités dont on parle sont liés à la capacité d'engendrer, et aucune des tâches qui sont

interdites aux femmes pendant leur grossesse ne peut être comparée à celle qui
consiste à mettre au monde un être vivant.

6. On peut réfuter de la même façon
l'argument selon lequel la femme aurait
moins d'aptitude que l'homme à créer : il
n'y a pas d'œuvre d'art qui puisse rivaliser
avec un enfant, comme il n'y a aucun par-
fum composé en laboratoire qui vaille celui
de la rose.

L'art et les femmes?

Si les femmes sont douées pour les arts d'agrément mineurs, la décoration, l'interprétation musicale, la broderie, etc., elles ne le sont pas pour les grandes œuvres de l'imagination créatrice. Si elles exécutent de jolies aquarelles, ou si elles jouent délicieusement du piano, elles ne nous ont jamais donné l'équivalent d'un Rembrandt ou d'un Mozart. Il serait inutile d'invoquer l'éducation restreinte dans laquelle elles ont été confinées pendant des siècles, car cette éducation comprenait précisément la peinture et la musique. S'il est décent d'éviter le mot d'« infirmité », il faut bien constater, dans le domaine que nous venons d'évoquer, une nette infériorité des femmes sur les hommes.

Cependant, l'art est d'abord une affaire de sensibilité, et il serait absurde de soutenir que les femmes sont moins sensibles que les hommes.

Les signaux et images qui nous parviennent du monde extérieur, captés par nos récepteurs sensoriels, se distribuent en nous à différents niveaux de profondeur où se forment la réflexion, la conscience, le jugement, la mémoire, pour atteindre enfin le cœur, qui est dans l'être humain l'organe transformateur de la sensation en amour, toutes choses en ce monde étant ordonnées par et en vue de la charité.

A peine la sensation a-t-elle atteint la rive du conscient que l'artiste la renvoie sur la toile, le mur, le firmament nocturne de la musique ou l'écran de l'imaginaire, nous faisant don et hommage de ses impressions, phantasmes et formes diverses d'excédents sensoriels. Ainsi s'explique la grande différence que l'on constate souvent entre la délicate beauté d'une œuvre d'art et la grossièreté de l'artiste lui-même. Le contraste

56

étonne, entre la limpidité du ruissellement musical de Mozart et l'épaisseur presque fangeuse des sentiments dont il témoigne dans sa correspondance, notamment lorsqu'il écrit à sa sœur qu'il l'embrasse sur le nez, sur le front, « et sur le derrière, s'il est propre ».

Les femmes possèdent évidemment les mêmes facultés que les hommes, mais celles-ci ne sont pas disposées en elles de la même façon. Elles n'opposent aucun barrage à l'irruption des sensations qui les atteignent directement au cœur où elles se changent instantanément en charité, en amour, en haine ou en flamboiement mystique. Aussi les femmes produisent-elles apparemment moins de grandes œuvres d'art que les hommes, à moins que l'on ne veuille bien admettre qu'une élévation mystique de sainte Catherine de Sienne ou d'Edwige d'Anvers vaut tous les tableaux du monde, et même bien davantage, y compris dans l'ordre esthétique.

Il n'y a donc aucune infériorité des femmes dans l'ordre de la création artistique ; ce serait plutôt le contraire, si la ful-

gurance mystique est supérieure à toute
autre forme d'éblouissement.

Il faut donc en finir avec ce préjugé bourgeois, tenace et ridicule, qui établit au détriment des femmes des « inégalités » qui ne
sont que des formes différentes d'existence.

Quant à l'observation sur les « grands
compositeurs » et les « grands peintres »,
elle est sans valeur, sinon sans muflerie. Ce
sont des femmes qui ont mis Rembrandt et
Mozart au monde, et s'il est exact que l'on
n'en trouve pas un deuxième exemplaire
chez elles, on n'en aperçoit pas chez les
hommes non plus.

L'engagement conjugal?

Notion et coutume des temps fortement imprégnés de religion où l'on croyait à l'immortalité de l'âme. Le temps, alors, était considéré comme une fraction d'éternité, de sorte que tout engagement pris en ce monde avait nécessairement son prolongement dans l'autre. Cette conception du monde est aujourd'hui périmée. L'homme connaît ses limites, et il a conquis en même temps contre toutes les formes d'oppression religieuse ou morale une liberté totale qui est son bien le plus précieux. Il ne tolère aucune sorte d'aliénation, et l'amour ne saurait pas plus l'engager de manière irrévocable que tout autre sentiment. Un homme, une femme ne peuvent pas plus se donner définitivement l'un à l'autre qu'ils ne pourraient se jurer de ne manger que de la choucroute leur vie durant. L'amour ne présente plus ce caractère d'éternité que la ratification imaginaire du ciel lui conférait autrefois.

Cependant, il reste qu'un amour qui n'aurait pas le sentiment d'être éternel n'aurait jamais commencé.

Il y a méprise totale sur la nature de l'amour humain et l'origine de l'engagement conjugal. La religion n'a jamais fait que sacraliser un état de fait : l'amour a précédé les rites, et le mystère de l'attachement humain est l'une des causes, non pas le résultat des grandes interrogations religieuses. Il y a erreur également sur le processus de l'engagement, qui ne mène pas à la lassitude et à l'ennui, tristes résidus d'un égoïsme insoluble, mais à une lente et impressionnante découverte des immenses profondeurs de l'être humain, qui se révèlent dans les épreuves et les souffrances partagées, pour finir devant un infini qui envahira l'un, et laissera l'autre seul avec ses souvenirs, son vertige, ses larmes, et cette certitude d'avoir aimé qui est le seul bien inaliénable que l'on puisse acquérir en ce monde, et emporter dans l'autre.

La libération de la femme ?

La libération de la femme a franchi un pas décisif, après les événements de Mai 68, avec la diffusion de la pilule, la légalisation de l'avortement, l'invention de la « pilule du lendemain » et l'entrée massive des femmes sur le marché du travail, où elles ont conquis leur indépendance, tandis que les lois cessaient enfin d'établir au profit des hommes une discrimination entre les sexes. C'est un changement révolutionnaire de la condition féminine.

Cependant, les révolutions finissent rarement comme elles ont commencé, et l'on ne retrouve par exemple plus grand-chose de l'enthousiasme de 1789 dans le sombre *requiem* de 1794.

On ne peut que se réjouir de l'égalité de principe de l'homme et de la femme devant la loi, en s'étonnant qu'il ait fallu tant de siècles pour y aboutir, et en regrettant tout de même que l'inégalité des salaires ne soit toujours pas corrigée.

Pourtant, après avoir assisté avec plaisir à cette espèce de « nuit du 4 août », laborieuse et prolongée, où le principe ridicule de la supériorité des hommes a été enfin aboli, du moins verbalement, on ne peut s'empêcher d'observer que les textes sur la pilule ou l'avortement ont été des lois d'hommes, votées par des hommes, et tout aussi bien faites pour dégager les hommes des conséquences de leurs actes que pour épargner aux femmes certains aléas de leur condition.

Enfin, il est tout à fait impossible de se faire une idée claire des suites psychologiques de ce grand changement. Les rapports sentimentaux entre hommes et femmes ne sont déjà plus ce qu'ils étaient jadis, et l'on se demande même parfois si l'on peut encore parler de vie sentimentale pour désigner un système de relations qui commence par où il finissait autrefois. Les femmes ont gagné en indépendance, et l'on ne peut que saluer ce progrès, mais il n'est pas sûr qu'elles ne risquent pas de perdre en même temps une partie de la prodigieuse force de caractère qu'elles acquéraient dès la plus extrême jeunesse dans la situation de forteresse assiégée qui était la leur. En face, les hommes, qui avaient la sottise de se croire plus intelligents qu'elles, commencent à douter d'eux-mêmes, bonne chose pour l'humilité, moins bonne pour l'engagement moral, et l'on ne saurait dire aujourd'hui quelle sorte de contrat ratifieront demain les nouvelles relations de deux êtres en train d'évoluer dans une imprévisible direction.

De toute façon, il y a progrès dans la manière de traiter ce sujet, car il y avait naguère encore au théâtre, dans la littérature ou les conversations entre imbéciles, une certaine façon de dire « les femmes » qui rappelait beaucoup trop certaine façon de dire « les Juifs ».

Pourquoi les femmes
s'intéressent-elles aux princesses?

C'est la preuve de la faiblesse de leur jugement, et un bon exemple de leur déraison-
nable propension à rêver.

Cependant, les femmes, qui cumulent
souvent les obligations du travail, les charges
du foyer et le souci des enfants, parmi lesquels
on peut compter leur mari, vivent les réalités
quotidiennes plus durement que les hommes.

La réponse est simple : toutes les femmes
ont une vocation de princesse, et toutes
devraient l'être chez elles. En tout cas,
presque toutes le sont beaucoup plus que les
personnes scintillantes dont elles suivent les
évolutions mondaines dans les magazines, et
qui se conduisent fort souvent de manière à
nous empêcher de rêver.

La beauté est-elle féminine?

Elle est évidemment masculine. Dans toutes les espèces animales, le mâle est plus beau, plus riche de plumes ou de poils que la femelle, comme le montrent le plumage du faisan ou la crinière du lion. Les proportions de l'homme sont plus harmonieuses que celles de la femme avec son bassin trop large et ses épaules étroites. La musculature féminine est de consistance molle, et l'homme l'emporte dans tous les exercices du corps. Du reste, il y a deux canons grecs de la beauté, l'Apoxyomène de Lysippe, le Doryphore de Polyclète, qui sont deux hommes, alors qu'il n'existe aucun canon de la beauté féminine, qui varie énormément de la Vénus callipyge à la Diane chasseresse, ou des femmes de Maillol à celles de

Modigliani. La femme peut être gracieuse, mais seul l'homme est beau.

Cependant, la beauté n'est pas une affaire de plumes, ou alors les danseuses de revue seraient plus belles que les hommes, alors que l'on a prétendu démontrer le contraire, ni une question de poils, car il n'y aurait rien de plus beau qu'un singe.

Quant à la configuration, la femme n'a rien à envier à son compagnon, sculpté avec énergie, alors qu'elle semble tout entière née d'une caresse. La beauté tient surtout à l'unité de l'être, et à ce que Paul Claudel appelait « le miracle de la proportion ». Or, si l'homme et la femme sont à égalité quant aux formes, ils ne le sont plus quant à l'unité, car les femmes, comme la République, sont unes et indivisibles, alors que les hommes sont faits de compartiments qui ne communiquent pas toujours entre eux, l'intelligence contrariant assez souvent le cœur, l'ambition, la vie de famille, et l'amour dominant moins exclusivement chez eux les autres sentiments. C'est donc aux femmes que l'on attribuera la beauté, dont Aristote faisait la première de toutes les vertus. On se permettra seulement de leur rappeler, discrètement, que ce n'est pas la seule qu'elles aient à pratiquer.

Le sourire?

Le sourire est chez le tout petit enfant l'expression d'une béatitude digestive dépourvue de signification psychologique. Cette légère extension des zygomatiques est directement causée par la saturation de l'estomac, un peu comme on tire les cordons d'une bourse bien remplie. Du reste, il est à remarquer que le sourire décrit un arc, une amorce de circonférence, figure géométrique de la plénitude. Inutile de chercher ailleurs la cause d'un phénomène purement mécanique dans lequel les parents ont la faiblesse, bien naturelle, certes, de voir un signe de reconnaissance ou d'affection.

Cependant, le boa repu ne sourit pas.

L'Homme en questions

Le sourire du tout petit enfant est l'un des plus grands et des plus ravissants mystères du monde. On dirait un ange qui traverse la nuit en balançant une lanterne, et il exprime beaucoup plus que la réplétion gastrique d'un bébé bien nourri. Il est une preuve voltigeante de l'existence de l'âme, un appel muet à l'amour, un passage furtif de la grâce et un léger trait d'ironie tiré sur le matérialisme.

Le progrès?

Le progrès est lié à l'évolution. Il est donc irrésistible. On voit bien d'ailleurs que l'homme a infailliblement progressé depuis l'âge des cavernes, et son progrès est même sensible d'un siècle, voire d'une fraction de siècle, à l'autre, comme du XIXe au XXe siècle, ou de la première à la seconde moitié du XXe : il suffit de comparer la situation de l'agriculteur français des années vingt ou trente et ce qu'elle est aujourd'hui. Il est inutile de citer les progrès scientifiques et techniques des cinquante dernières années, où il s'est fait plus de découvertes que dans toute l'histoire de l'humanité : « Sur cent savants ayant joué un rôle dans cette histoire, disait Oppenheimer, quatre-vingt-dix-neuf sont encore vivants. » Donc, le progrès est une évidence.

Cependant, Simone Weil qualifiait le progrès de mythe ridicule, et Paul Valéry a écrit : « Nous savons maintenant, nous autres civilisations, que nous sommes mortelles. » Et il y a eu, dans l'histoire de l'humanité, d'incontestables temps de régression.

Le mythe que dénonce Simone Weil est celui qui consiste à se représenter le futur comme nécessairement meilleur que le passé, sans qu'il y ait, pour cela, d'effort particulier à fournir : l'homme irait infailliblement vers des lendemains qui chantent, et qui chanteraient même sans lui.

Plutôt que « du Progrès », mieux vaudrait parler « des progrès » de l'humanité, qui sont manifestes en divers domaines, incertains en d'autres, et toujours sujets à récession parfois brutale.

Il faut distinguer entre les progrès matériels que procure l'intelligence, et ceux de l'esprit.

Les progrès de l'intelligence sont ceux qui étendent le champ de la connaissance et, en ce sens, ils ont été, durant ce siècle, d'une ampleur et d'une rapidité extraordinaires. Encore faut-il distinguer entre les acquis réels de la connaissance et les scénarios scientifiques que l'on nous présente souvent comme des découvertes, mais qui ne sont que de vagues conjectures.

Les progrès de l'esprit sont relatifs aux arts, aux lettres, à la morale et à la pensée pure. Dans ces quatre domaines, ils sont nuls :

1. En art, la perfection rationnelle du Parthénon n'a jamais été égalée, et le plus extraordinaire est que nous savons tous qu'elle ne sera jamais surpassée.

2. Dans les lettres, on ne voit rien qui soit supérieur à *L'Iliade*, composée il y a deux mille huit cents ans.

3. En morale, l'humanité est passée par des phases d'exaltation sublime et d'incroyable perversions qui excluent l'idée de progrès.

4. La pensée pure n'a pas avancé d'un seul pas depuis Platon et Aristote. Certes, ils représentaient un progrès considérable par rapport à leurs prédécesseurs ; leurs succes-

seurs n'en représentent aucun devant eux : les questions qu'ils se posaient restent posées et, s'ils ne les ont pas résolues, nous n'en sommes pas venus à bout non plus ; ceux qui ont cru les dépasser sont tombés dans le vide ou les extravagances idéologiques.

Si les progrès de la connaissance sont évidents, on ne constate aucun progrès de l'esprit depuis deux mille ans. Les Grecs ont dominé la raison pure, l'Évangile domine toujours les âmes.

Droit à la différence,
ou droit à la ressemblance?

La différence des races, des traditions, des cultures ou des mœurs fait la richesse du monde et doit donc être reconnue, exaltée et protégée, ce que refusent les racismes, les nationalismes et les fanatismes. Ceux-ci voient en effet dans les différences de religion, de coutumes ou tout simplement de peau, une menace sur leur identité qui engendre tout d'abord la crainte, puis la haine et enfin la violence. Aussi le « droit à la différence » doit-il être défendu comme un droit fondamental, une conquête de la civilisation et un gage de paix entre les hommes.

Cependant, si tout ce que l'on vient de dire est exact, il reste que le « droit à la différence » en inclut un autre dont on ne parle jamais, et qui est le « droit à la ressemblance ».

En effet, le refus du droit à la différence est la cause d'innombrables conflits, d'opérations répugnantes contre les minorités ethniques et de toutes les sortes de maux qui gangrènent les sociétés et finissent par dénaturer l'espèce humaine. Mais, au lieu de nous borner à prendre acte de ce que le voisin peut avoir de différent, peut-être serait-il plus expédient de chercher ce que nous avons de commun avec lui. Car il existe entre tous les hommes, si éloignés qu'ils soient les uns des autres par la géographie ou par l'histoire, des points de rencontre intellectuels ou moraux qui les font moins dissemblables qu'ils ne le croient souvent. Si les cultures sont disparates, s'il subsiste chez certains peuples des coutumes qui nous paraissent barbares (et qui le sont en effet, comme la pratique de l'excision), et si le fanatisme bâtit des murailles autour de lui, il reste que les données premières de la conscience sont souvent similaires et qu'en tout cas, par exemple, tous les hommes sont capables d'amitié. Un Français peut se sentir très différent d'un Patagon en matière de mœurs ou de logement, mais un Patagon et un Français qui se serrent la main parlent la même langue, et c'est précisément celle-ci, plutôt que celle du « droit à la différence », qu'il faut s'employer à pratiquer.

Le péché?

Le péché est une notion tirée d'une lecture trop littérale de la Bible. Ce serait une infraction à une loi imaginaire imposée par une autorité suprême, infaillible et éternelle, qui n'existe pas. Le binôme « péché/pardon » est rejeté par l'esprit contemporain. L'homme d'aujourd'hui compose sa propre morale en fonction de sa conception personnelle du bien et du mal, ou des concessions qu'il juge opportun de faire à la morale sociale, après délibération. Il est inutile de s'étendre sur ce sujet, qui a déjà été traité dans *Dieu en questions*. Du reste, les chrétiens eux-mêmes ont abandonné l'idée de péché, comme le montre, avec leur indifférence à l'égard du sacrement de pénitence, leur répugnance à se confesser. Ils

ont renoncé du même coup à l'idée d'un
« pardon » devenu sans objet, et du reste
humiliant pour celui qui le reçoit.

Cependant, le sentiment d'avoir péché n'a
jamais diminué personne, au contraire.

La notion de péché n'ayant pas de sens
pour l'incroyant, on s'adressera ici aux seuls
chrétiens pour leur signaler qu'avec le sens
du péché et le recours du pardon, ils ont
perdu deux valeurs spirituelles cumulatives
d'une richesse incroyable et qui n'ont été
remplacées, chez eux, par rien. On ajoutera
que si, dans l'histoire, le pardon vient après
le péché, il est clair pour les âmes mystiques
que, dans l'ordre divin, le péché n'a été per-
mis qu'en vue du pardon, autre forme de
démultiplication de la miséricorde.

L'ingérence humanitaire?

Le développement de l'action humanitaire dans le monde, d'une part, et d'autre part la naissance d'un « nouvel ordre mondial » favorisée par la fin de la guerre froide, ont conduit depuis quelque temps les Nations Unies à intervenir de plus en plus souvent dans les conflits locaux et les situations de misère où des peuples entiers sont menacés d'extinction. Étant entendu qu'il ne peut être appliqué que par ordre et sous le contrôle de l'ONU, le « droit d'ingérence humanitaire » l'emporte donc sur le principe de « non-intervention » de la vieille diplomatie internationale, qui n'a jamais réussi à protéger les faibles contre la gloutonnerie d'un voisin de proie, encore moins, évidemment, à sauver une population déshéritée de la famine.

Cependant, plutôt que de « droit d'ingérence », mieux vaudrait peut-être parler de
« devoir d'assistance », l'ingérence incluant
une idée d'intrusion illégale.

Il est vrai que la « conscience internationale », autrefois fort démunie, acquiert
peu à peu des moyens d'action qu'il serait
coupable de lui refuser sous le prétexte
absurde qu'ils sont insuffisants ou qu'ils sont
employés parfois maladroitement. Le droit
d'ingérence humanitaire est une extension
du devoir d'« assistance à personne en danger » qui figure depuis longtemps dans le
droit usuel, et son principe est à défendre en
dépit des échecs essuyés sur le terrain par
ceux qui sont chargés de l'appliquer.

Toutefois, le problème le plus difficile que
le « devoir d'ingérence » ait à résoudre n'est
pas d'ordre juridique ou moral, mais d'ordre
psychologique. En effet, l'assistance humanitaire va toujours du fort au faible, du riche
au pauvre, et si, dans un premier temps, les
délégués de la bienfaisance internationale
sont accueillis en sauveurs avec leurs sacs

de riz, ils ne tardent pas à être regardés comme des occupants indésirables, surtout quand ils sont dans la nécessité de faire protéger leurs sacs par la force armée. Quand on intervient, fût-ce par générosité pure, il faut d'abord se faire pardonner d'avoir les moyens d'intervenir. Ce n'est pas une raison pour renoncer, mais c'est une vérité à ne pas perdre de vue. Saint Vincent de Paul en avertissait ses admirables petites sœurs : « Dites-vous bien, mes filles, que le pauvre ne vous pardonnera jamais le pain que vous lui donnez. » Il ne disait point cela pour les décourager de poursuivre leurs bonnes œuvres, mais pour leur faire comprendre qu'il est des cas d'extrême misère où la charité elle-même n'est qu'un tout petit commencement de justice pour lequel nulle reconnaissance n'est due.

L'image?

La civilisation de l'image, qui est la nôtre, aura bientôt fini de supplanter la civilisation de l'écrit, née avec l'invention de l'imprimerie. La supériorité de l'image sur l'imprimé n'est plus à démontrer : c'est un moyen d'expression simple, frappant, loyal, et qui aide puissamment à la diffusion de la culture dans la mesure où elle n'exige pas de formation préalable pour goûter les fruits de la connaissance. L'image est une langue universelle dont l'usage se répand de plus en plus au détriment du livre, et qui n'a point besoin de traducteurs. Aussi ses progrès sont-ils irrésistibles.

Cependant, l'image a précédé l'écriture, généralement reconnue comme un immense progrès.

Il est absurde de comparer deux moyens d'expression qui ne s'adressent pas au même sens, car l'image concerne la vue, l'écrit, l'oreille : un livre contient des paroles formées, et la parole est beaucoup plus puissante que l'image. Celle-ci s'efface peu à peu, se désintègre, ou tombe en poussière. Par exemple, les monuments de l'Antiquité offrent de très belles images, mais le temps en a aboli un grand nombre, et ceux qui subsistent se désagrègent peu à peu, alors que les paroles prononcées à la même époque ont traversé les siècles, intactes et pour ainsi dire indestructibles. Il ne reste presque rien de cinq des Sept Merveilles du monde, et la plupart des peintures des temps anciens se sont évaporées, tandis que l'on entend toujours l'adjuration de Priam à Achille, ou les cris étouffés d'Antigone.

Il est faux que l'image soit un moyen d'expression loyal : on ment aussi bien en images qu'en paroles, et l'on peut même dire que l'image ment encore mieux dans la mesure où elle prend les apparences de l'objectivité. Accorder à l'image une supériorité sur l'écrit revient à dire que, pour mieux comprendre le monde, il est préférable d'être sourd.

Enfin, l'écrit libère l'imagination, l'image la restreint. Il n'y a pas un seul film tiré d'un chef-d'œuvre littéraire qui ne soit terriblement inférieur à celui-ci, et, ce qui est encore plus saisissant, à l'imagination du lecteur lui-même.

La morale?

C'est l'ensemble des obligations et des interdits qui règlent les rapports des individus entre eux comme avec la société, et dont le respect imposé ou consenti est censé procurer les bienfaits de ce qu'on appelle l'« ordre moral ».

En fait, qu'ils soient promulgués par un pouvoir quelconque ou démocratiquement adoptés, ces obligations et ces interdits portent tous atteinte à la liberté personnelle, qu'ils annihilent quelquefois et restreignent toujours.

Autrefois, quand l'Église dominait la société, c'est elle qui définissait souverainement le bien et le mal. Malheureusement pour elle, heureusement pour la liberté, sa morale du bien et du mal se montrait beaucoup plus exigeante envers les individus qu'à l'égard du pouvoir établi, duplicité qui est à l'origine de la plupart des révolutions modernes, les hommes se montrant de moins en moins disposés à accepter que le pouvoir, le roi, l'État enfin ne soient pas tenus de respecter les règles qu'eux-mêmes ont à observer.

Au surplus, les notions de bien et de mal varient d'une civilisation et d'un siècle à l'autre. Les esprits les plus évolués de l'Antiquité admettaient l'esclavage, et l'Église autorisait la torture quand elle ne l'employait pas elle-même contre les hérétiques, etc. En résumé, on peut dire qu'il n'y a pas de notion objective du bien et du mal, et que la morale est toujours une contrainte arbitraire.

Cependant, la morale est indispensable au bonheur, et son absence ne produit que du malheur.

1. Depuis un siècle ou deux, les intellectuels croient contribuer au progrès des esprits en dénigrant et raillant la morale, à

cause de l'origine religieuse qu'ils lui attribuent et qui n'est pas la sienne. En effet, ce n'est pas la religion mais la raison qui a été la première à distinguer le bien et le mal, de sorte que créer la confusion dans ce domaine a pour première conséquence de nuire à la raison plutôt qu'à la foi, et pour résultat de livrer l'humanité aux entreprises des idéologies totalitaires qui ont pour premier soin d'abolir toute notion objective du bien et du mal, appelant bien ce qui consolide leur pouvoir, mal ce qui leur fait obstacle.

2. Les prétendues contraintes de la morale sont faites pour protéger le faible contre le fort. Elles ne constituent cependant qu'un rempart fragile qu'il y a grand déshonneur à renverser.

3. La remarque sur les variations de la morale d'une civilisation ou d'un lieu à un autre est sans valeur, malgré la caution de Pascal (« Vérité en deçà des Pyrénées, erreur au-delà »). Il est si manifeste que le sentiment du bien et du mal est le même partout que les systèmes totalitaires les plus immoraux se sont toujours crus tenus de

couvrir leurs iniquités judiciaires d'une apparence de légalité démocratique, ajoutant le mensonge à l'ignominie.

4. Toute conscience a une notion objective du bien et du mal, qu'elle ne peut nier sans se détruire.

5. Enfin, il n'y a pas plus de bonheur sans morale qu'il n'y a de santé sans modération des appétits, et nombre de ceux qui ont nié cette évidence ont fini précisément dans des maisons de santé.

La surpopulation?

C'est l'un des grands dangers qui menacent l'humanité. On a calculé qu'au rythme actuel de la croissance démographique, la planète, dans trois siècles, compterait sept cents milliards d'habitants, chiffre stupéfiant qui incite à prendre d'urgence des mesures de restriction des naissances, surtout, naturellement, dans les pays pauvres.

Cependant, on remarquera que c'est toujours le voisin qui est surpeuplé. S'il y a un homme de trop quelque part, ce n'est jamais le statisticien.

Premièrement, on a calculé que, si tous les habitants de la terre étaient rassemblés en Australie, la densité de population de cette île ne serait pas supérieure à ce qu'elle est au Bénélux. Deuxièmement, la Terre pourrait nourrir deux fois plus d'habitants qu'elle n'en compte aujourd'hui, et cela, sans qu'il soit nécessaire d'attendre des techniques nouvelles. Troisièmement, les « prévisionnistes » s'accordaient à prédire le pire destin à l'Inde si sa population venait à augmenter encore, et elle ne s'est jamais mieux portée que depuis qu'elle est passée de 600 à 900 millions d'habitants. Quatrièmement, la prolongation des courbes statistiques relève de la conjecture et n'est jamais ratifiée par l'événement; si l'on prolongeait aujourd'hui la courbe du sida, il n'y aurait plus personne en 2024, éventualité improbable et d'ailleurs incompatible avec les prévisions des démographes. Enfin, cinquièmement, il est bien conforme à notre philanthropie de songer à imposer un contrôle des naissances à de pauvres peuples dont on ne contrôle pas les morts.

L'objection de conscience?

Elle s'impose à tout disciple de l'Évangile, comme à tout ami sincère de la paix. L'objecteur refuse tout engagement qui pourrait l'amener à prendre part à un conflit armé. En se soustrayant au service militaire, il se montre pacifiste cohérent. Il se tient au point culminant de la morale, et l'on ne peut le condamner sans la renier.

Cependant, la neutralité n'existe pas, et celui qui se tient volontairement à l'écart d'une querelle entre deux hommes favorise le plus fort, tout comme l'abstentionniste électoral vote en fait pour la majorité.

En refusant d'accomplir son service militaire, l'objecteur manque les occasions de résister à un ordre inique, autrement dit de pratiquer vraiment l'objection de conscience. Ainsi la place de l'objecteur est dans l'armée, et en rejetant le principe du service on ne se tient pas « au point culminant de la morale », mais au point culminant de la contradiction avec soi-même.

Je pense, donc je suis?

Première pierre de la philosophie moderne, d'une solidité à toute épreuve, et sur laquelle se sont bâties toutes les doctrines subjectivistes (il n'y en a d'ailleurs pas d'autres depuis trois siècles). Le « je pense, donc je suis » de Descartes montre tout d'abord que la pensée peut se penser elle-même et se passer d'objet – activité autrefois réservée à Dieu – pour aboutir en fin de parcours à cette conclusion que ce n'est pas l'être qui produit la pensée, mais la pensée qui fait l'être. Ainsi se trouvent légitimés Emmanuel Kant (il y a coupure entre l'intellect et les choses), Hegel (l'Idée forme tout ce qui est) et toutes les philosophies qui, par la suite, n'ont jamais réussi, ou se sont systématiquement refusées à réconcilier l'esprit et l'univers.

Il va sans dire que la proposition de Descartes est irréfutable.

Cependant, Paul Valéry faisait observer que la formule de Descartes n'avait qu'une valeur subjective, nul ne pouvant dire « il pense, donc il est ».

Toutes les philosophies modernes reposent sur des calembours, jeux de mots, artifices de langage ou prémisses arbitraires qui ont la propriété surprenante de passer inaperçus.

Par exemple, Hegel posera au début de sa démonstration que « l'être est indétermination pure », après quoi sa puissante intelligence n'aura aucune peine à montrer que l'on peut en dire autant du néant, ce qui prouve l'identité des contraires. Emmanuel Kant, qui règne encore aujourd'hui sur la pensée occidentale, dira que l'intelligence ne connaît qu'elle-même et ne peut atteindre « la chose en soi », contradiction que l'on passe à son grand génie ; car si l'intelligence ne connaissait qu'elle-même, elle ne serait qu'une espèce de grue à objets insaisissables et il ne lui resterait plus qu'à se penser elle-même jusqu'à la consommation des siècles; triste fin.

Le « je pense, donc je suis » de Descartes est une autre farce-attrape de la pseudo-métaphysique moderne; car pour dire « je pense », il faut que l'esprit soit déjà revenu sur lui-même, ce qui fait que l'énoncé n'est pas une donnée première et immédiate de la conscience.

Toutes les philosophies reposent sur ces diverses sortes de pilotis flageolants plantés dans le sable mouvant du cerveau.

Qu'est-ce que le libre arbitre?

C'est une illusion. Tous nos actes sont conditionnés par notre hérédité, notre constitution propre, les circonstances, notre milieu et notre éducation. La moindre de nos décisions résulte de cent causes sur lesquelles nous n'avons aucune prise et que nous ne connaissons même pas. En vérité, il n'y a pas un seul de nos choix qui ne nous soit dicté. Notre intelligence elle-même, en composant le cadre dans lequel s'exerce notre prétendue liberté, impose à celle-ci des limites qui ne peuvent qu'en restreindre et en fausser le jeu. Bref, il n'y a pas de libre arbitre, et le déterminisme a raison.

Cependant, si le libre arbitre n'existait absolument pas, l'idée ne viendrait à personne de le nier.

Si l'homme était aussi totalement conditionné qu'on le prétend ci-dessus, il serait de même totalement irresponsable, et la justice qui prétend juger ses actes serait injuste par définition. Il serait incapable de former une idée objective du bien et du mal, ce qui le rendrait inapte au progrès comme à la vie en société où il convient de se plier aux lois, même quand elles ne servent pas nos intérêts. Enfin, l'être humain serait hors d'état de résister à ses instincts ou à ses passions, ce qu'il lui arrive de faire sans y être contraint par la crainte ou par la force.

L'erreur du déterminisme est de croire que la liberté consiste pour l'homme à se créer lui-même, à ne jamais dépendre que de sa propre volonté qui finirait, dégagée de toute pression ou incitation extérieure, par se vouloir elle-même dans une sorte d'extase subjectiviste sans fin.

En vérité, la liberté n'est pas ce qui permet à l'homme de s'affirmer en toute circonstance, mais au contraire de se nier à l'occasion, par amour ou par générosité.

Pourquoi?

C'est une question que la science ne se pose pas : « Elle n'a pas de sens, disait Einstein, pour moi physicien. » En effet, elle vise une finalité hypothétique de l'univers, et tant que cette finalité supposée n'est pas atteinte, elle ne peut relever de la connaissance rationnelle. Elle est donc oiseuse et superfétatoire, et la science l'abandonne volontiers à la religion, qui lui donne les réponses de l'Écriture, dont les textes sont sujets à bien des réserves, ou de la Révélation, qui nous est parvenue sous forme de récits incontrôlables ou de faits qui restent à établir.

La seule question scientifique est la question « comment? » : comment se produisent les choses qui se présentent à mon observation?

Cependant, il ne suffit pas de refuser de poser une question pour que la question ne se pose pas.

Il y a un malentendu, volontairement entretenu par les théoriciens du rationalisme scientifique, sur la signification de ce « pourquoi » que le naturaliste Jean Rostand qualifiait de « nausée métaphysique ». Cette question qui se pose à tout esprit depuis le commencement du monde ne porte pas seulement sur la finalité de l'existence, mais, de manière plus aiguë encore, sur son origine : « Par quel sortilège suis-je sorti de la soupe originelle avec cet équipement organique, d'une invraisemblable complexité, qui me rend apte à participer quelque temps à la vie d'un monde aussi incompréhensible que moi? » – tel est le premier sens de ce « pourquoi » auquel les scientifiques ont substitué un « comment » qui n'est qu'un « pourquoi » déguisé. Vient ensuite

la question de la destinée, ou de la desti-
nation, qui est le deuxième sens de ce
même « pourquoi ». C'est à ce deuxième
sens que la religion est seule à répondre.

Faut-il respecter les vieillards?

On n'en voit pas la nécessité. Les vieilles personnes sont une charge pour la communauté, et ce sont elles qui devraient plutôt respecter la jeunesse, qui travaille pour leur assurer une retraite. Dans l'Antiquité, le vieillard était entouré d'honneurs et de considération, et l'on prenait rarement une décision grave sans l'avoir consulté : c'est qu'il avait traversé nombre de situations difficiles, et qu'il pouvait fournir la tribu ou l'assemblée en précédents instructifs. Il était sage, puisqu'il avait survécu, et ses avis fondés sur l'expérience étaient recueillis avec gratitude. Il n'en va pas du tout de même aujourd'hui. Le monde évolue si vite que les expériences du passé n'ont pas la moindre valeur pédagogique, et rien ne servirait de

111

consulter un contemporain du fusil Chasse-pot sur la politique de défense nucléaire. Nous vivons dans un monde *sans précédents,* ce qui retire au vieillard le principe essentiel de son autorité d'autrefois. Au surplus, il est établi que les actions d'éclat ont toujours été accomplies par la jeunesse, bien avant le tarissement de sa charge de neurones. Exemples : Alexandre, Hoche, Napoléon, Jeanne d'Arc...

Cependant, ni le cœur ni l'intelligence ne sont une question d'âge.

Il est vrai que la vieillesse a moins d'imagination que la jeunesse ; aussi est-elle moins sujette à l'erreur, et c'est en cela qu'elle est précieuse.

Les grandes œuvres tardives sont aussi fréquentes que les chefs-d'œuvre précoces. Rimbaud éblouissait à dix-neuf ans ; à quatre-vingts, Michel-Ange illuminait la Sixtine.

Les grands conquérants sont souvent très jeunes, mais ce ne sont pas des bienfaiteurs de l'humanité, et Jeanne d'Arc n'a pas sa place parmi eux : elle ne fut pas un grand chef militaire, mais une âme très pure chargée de sauver la vocation spirituelle de la France.

On ne saurait soutenir que l'expérience n'est d'aucune utilité dans un monde qui change aussi rapidement que le nôtre. Les questions fondamentales sur la vie et le destin sont exactement les mêmes qu'autrefois ; il se trouve simplement que la société contemporaine est plus habile à les masquer.

D'autre part, si l'intelligence était proportionnelle à la quantité de neurones, n'importe quel bébé serait plus intelligent qu'Einstein ; en outre, Einstein lui-même aurait été beaucoup plus intelligent lorsqu'il n'avait encore rien découvert du tout.

Enfin, ce n'est pas en raison des services qu'elle peut rendre que la vieillesse est à respecter, mais précisément en raison des services qu'elle ne peut pas rendre : ainsi le veut la morale.

Les privilèges de l'âge?

Pure illusion.

La jeunesse est l'élan de la vie; la vieillesse, l'approche de la mort. On ne voit pas qu'il y ait le moindre privilège à perdre peu à peu l'usage de ses sens. « La vieillesse est un naufrage », disait le général de Gaulle, qui priait le ciel de le rappeler avant l'âge de quatre-vingts ans; en quoi il fut exaucé de justesse. Le seul privilège de l'âge est la relative immunité que lui consent la pitié de la jeunesse. Il serait donc plus convenable de parler des privilèges de la jeunesse, qui porte l'espérance du monde, et qui jouit de l'avantage, considérable, de se croire éternelle.

Cependant, l'avenir de la jeunesse, quand elle en a un, c'est le troisième âge.

Le grand âge amène des inconvénients et des incapacités trop connus pour qu'il soit nécessaire de les énumérer. Parmi ses défauts, le plus grave est l'égoïsme, accentué par un attachement à la vie d'autant plus fort que celle-ci est de plus en plus précaire et menacée. Toutefois, la vieillesse rend indulgent, résultat d'une longue fréquentation des faiblesses humaines; elle consolide le jugement, fondé sur l'expérience; elle simplifie l'exercice de la raison, que ne désorientent plus les extravagances de l'imagination. On peut considérer que ce sont là des privilèges, d'autant plus assurés que personne, finalement, ne les envie.

Mai 68?

La révolution de Mai 68 n'a pas eu raison du régime en France, ni ailleurs, mais elle a apporté de grands changements dans les mœurs et les mentalités. Elle marque la césure de deux époques, la fin de l'ordre moral, le début d'une ère de liberté totale de l'individu par la rupture de tous ses liens avec la famille, la société, l'État, les idéologies. Toutes les valeurs anciennes ont été emportées, et les gouvernements qui ont succédé à cette tornade de pavés se sont vainement épuisés à en restaurer quelques-unes.

Cependant, lors des événements, André Malraux disait à l'auteur : « La révolution, c'est un type au coin de la rue avec un fusil. » On n'a rien vu de tel en 68.

Le mouvement de Mai, auquel le peuple n'a point pris part, si ce n'est pour en retirer quelques maigres avantages sociaux, n'a pas été une révolution, mais un étrange soubresaut historique déconcertant pour le pouvoir, surpris en pleine digestion, pour les partis politiques, complètement dépassés, et pour les Églises, aussi déroutées que les partis. Maurice Clavel cherchait la cause de l'étrange phénomène dans les cieux, Edgar Morin dans l'inconscient collectif, et il est possible qu'ils aient eu raison tous les deux, s'il est vrai que la foudre conjoint les électricités du ciel et de la terre. Pour notre part, nous dirons qu'en ce temps-là l'esprit s'est retourné dans la tombe où le laïcisme borné de la Belle-Époque l'avait enseveli, provoquant un grand remous de barricades et déboîtant les institutions, suspendues quelques jours dans les airs avant de retomber dans leurs alvéoles. Toutefois, lorsqu'on cherche au-delà du vacarme et des nuages lacrymogènes le mobile profond de cette grande fantasmagorie juvénile, il nous semble que l'on y trouve tout simplement le *désir d'aimer*, contrarié par une société sans douceur et sans âme. Malheureusement, les jeunes gens de Mai se sont mépris sur la nature de leurs propres sentiments, ils ont laissé un mouvement prendre une tournure idéologique qui a tout gâté, si bien que l'on peut dire qu'ils ont été victimes de leur succès. L'ambition leur est venue, et le désir s'est envolé. Peut être auraient-ils pu changer le monde s'ils n'avaient pas tenté de le faire.

Les utopies sont-elles nécessaires?

Évidemment. Les utopies font progresser les sociétés qui, sans elles, séjourneraient dans un état de stagnation politique et morale décourageant pour les meilleurs, et beaucoup trop favorable aux entreprises des moins bons. Une société ne peut se passer d'un idéal, et que celui-ci soit inaccessible ne fait que le rendre plus durable, par conséquent plus efficace.

Cependant, depuis un siècle, les utopies fascistes, racistes ou marxistes ont largement démontré leur nocivité.

De Thomas Moore à Jean-Jacques Rousseau, Proudhon ou Karl Marx, les utopies ou modèles de société parfaite ont toutes un point commun : elles ne tiennent aucun compte de la complexité de l'être humain. Telle utopie ne verra en lui qu'un animal social, et elle ne lui accordera pas plus de vie privée qu'à une fourmi ou à une abeille ; telle autre le réduira à sa fonction économique et rejettera tout le reste, religion, culture, espérances, dans le domaine du rêve ou de l'aberration métaphysique. Plus grave encore, les utopistes ne voient pas, ou n'admettent pas, que l'être humain est un être non seulement complexe, mais foncièrement contradictoire, qui vit les phases tumultueuses d'un conflit perpétuel entre ses désirs et sa conscience, entre ses croyances et ses actes, ses devoirs et ses faiblesses, et même entre ses pensées et ses pensées. Les cités parfaites des utopistes sont peuplées d'individus schématiques, de fantômes de citoyens, vivant – à peine – dans l'hébétude collective de pénitenciers politiques, ou palpitant faiblement à l'état larvaire dans les mornes lupanars de sectes à prétentions religieuses.

Il est faux que les utopies fassent progresser les sociétés. Elles les font infailliblement régresser.

Karl Marx est-il mort?

Karl Marx a commis cinq erreurs graves.
La première a été de réduire l'histoire à ses données économiques, ce qui réduisait en même temps l'homme à son être social, tout le reste étant adventice ou illusoire. Cette vision strictement matérialiste a abouti à l'abolition de la personne.

Deuxième erreur : il n'a pas vu, mais peut-être était-ce peu visible de son temps, la mobilité des classes sociales, qu'il croyait fixées pour toujours dans leur condition.

Troisième erreur : il a annoncé une concentration de plus en plus forte du capital et une extension indéfinie du prolétariat, alors que dans les pays industrialisés le capital s'est largement répandu, tandis que le prolétariat tendait à disparaître.

Quatrième erreur : l' « homme économique » n'est pas resté ce qu'il était au xixe siècle, un simple « appendice de la machine » ; grâce à l'électronique, la machine a réduit la machine en esclavage.

Enfin, cinquième erreur, il a cru que l'histoire lui donnerait raison d'elle-même, après une courte période de violence révolutionnaire rendue nécessaire par la résistance des possédants ; il pensait que la « dictature du prolétariat » durerait quelques semaines ou quelques mois au plus, alors qu'elle a duré soixante-quinze ans, tandis que l'histoire réfutait sournoisement sa théorie.

On peut donc dire que Marx est mort, tué par le marxisme.

Cependant, un grand esprit ne se trompe jamais complètement sur tous les sujets.

Si la pensée de Marx a été réfutée par l'histoire dans les pays industrialisés, elle reste dangereusement valable à l'échelle mondiale où les pays riches sont peu nombreux (on n'en cite guère que sept) tandis que la population des pays prolétaires augmente

tous les jours dans des proportions inquié-
tantes. Entre les nations « les plus industria-
lisées » et la masse des autres, l'écart est de
ceux qui engendrent les luttes de classes,
conformément à la thèse marxiste.

D'autre part, il est clair et manifeste que
les pays capitalistes ne prennent en compte
que les éléments économiques et financiers
de la vie en société, tenant tout le reste pour
négligeable et n'accordant à l'esprit que les
tintements et miroitements de quelques
hochets culturels généralement saugrenus.
Chez eux, l'être humain n'est rien de plus
qu'un consommateur, un fragment de la
grande tuyauterie des économies de marché. Ils sont strictement matérialistes, et
entrent sans même s'en apercevoir dans la
logique marxiste.

Karl Marx n'est pas mort. Il est en hiber-
nation.

Qu'est-ce que la démocratie?

Selon les Américains, c'est « le gouvernement du peuple, par le peuple, pour le peuple ». Selon Jean-Jacques Rousseau, père spirituel du monde moderne, c'est le règne de « la volonté générale ».
Telles sont les deux définitions les plus fortes de la démocratie, mais l'une et l'autre sont politiquement illusoires et stériles. En effet, l'on n'a jamais vu un peuple se gouverner lui-même, excepté dans les minuscules régions de la Suisse où il est possible de rassembler la population tout entière sur la place du village et de la consulter sur tous les sujets. Quant à « la volonté générale », qui n'est pas à confondre avec l'expression d'une majorité de citoyens, elle suppose la résiliation de

toutes les volontés particulières, genre
d'abnégation qui ne se rencontre que dans
les monastères contemplatifs. La démocratie n'a donc jamais existé nulle part, si l'on
ne tient pas compte des deux petites exceptions que l'on vient de mentionner, la
seconde étant d'ailleurs peu convaincante,
les monastères se rapprochant plutôt du
régime monarchique.

Cependant, la démocratie est le système
de gouvernement le plus généralement
admis aujourd'hui, et il faut bien croire
qu'il existe, puisque tant de peuples s'en
réclament.

La formule américaine est une façon
romantique de rappeler que, dans une
démocratie ordinaire, le peuple a le premier et le dernier mot : le premier, par la
désignation des élus ; le dernier, par leur
éventuelle révocation ; dans l'intervalle, il
n'a pas la parole.
La théorie de Jean-Jacques Rousseau est
impraticable, de l'aveu même de son
auteur. Elle a cependant inspiré toute la

pensée politique moderne et pris, dans l'histoire, deux directions : l'une a conduit au totalitarisme où, de dessaisissement en dessaisissement des volontés particulières, la volonté générale est finalement exprimée par un seul homme qui prétend la faire coïncider avec le sens même de l'histoire ; la deuxième voie est celle des démocraties bourgeoises où la volonté de la majorité des citoyens tient lieu de volonté générale, hérésie qui a pour effets : premièrement, de faire perdre aux individus l'espèce de liberté spirituelle qu'ils pouvaient trouver – selon Rousseau – dans l'abdication de leur volonté propre ; deuxièmement, de perpétuer les conflits internes de la société, conflits que l'alternance au pouvoir atténue mais ne résout pas. Finalement, les démocraties bourgeoises ont toutes mauvaise conscience dans la mesure où elles ne peuvent, sans se détruire, assurer à chaque individu la liberté intégrale qui devrait découler de sa souveraineté de principe.

Pourtant, la démocratie de type occidental, si elle a renoncé à atteindre l'idéal de

L'Homme en questions

Jean-Jacques, offre au citoyen un grand
nombre de recours contre l'arbitraire, elle
le protège de l'absolutisme et se montre en
cela le régime le plus tolérant et le plus
tolérable du monde.

Démocratie ou république?

Ce sont deux manières de désigner une même forme de pouvoir d'origine populaire. Par exemple, la république française est une démocratie, la démocratie américaine est une république.

Cependant, il a existé des républiques qui n'étaient point démocratiques, comme la république de Venise, et des démocraties qui n'étaient pas des républiques, comme les « démocraties populaires » de l'Est européen de 1945 à 1989.

Il faut distinguer.
La république est le règne des lois censément gravées dans le bronze, comme jadis les lois du peuple étrusque. Ces lois sont

131

immuables, elles énoncent des principes de morale publique auxquels chacun doit obéissance. En ce sens, on peut dire que le peuple de Moïse était une sorte de république, nul n'ayant licence de nier ou d'outrepasser un seul des Commandements.

La démocratie est le règne des législateurs, élus et révocables par le peuple, et qui adaptent ou réforment les lois selon l'état des mœurs ou les humeurs et variations de l'opinion publique. Ce sont donc deux formes de pouvoir distinctes. Tous les problèmes politiques des sociétés actuelles tiennent à la difficulté de concilier les deux systèmes, l'un produisant l'immobilisme, l'autre l'instabilité.

Libéralisme ou socialisme?

Les hommes n'ont le choix qu'entre deux grands systèmes sociaux et politiques, le libéralisme et le socialisme.

Le libéralisme est un empirisme qui s'en remet à la loi du marché, dite aussi de l'offre et de la demande. Il fait confiance à l'initiative privée, à l'esprit d'entreprise, et, comme il a pour ressort l'intérêt personnel, que cet intérêt est servi par des aptitudes ou des ambitions plus ou moins grandes, il engendre des inégalités qui font progresser la société au détriment de la justice.

Le socialisme appelle précisément ces inégalités des injustices, et il se fait un devoir de les corriger en limitant étroitement l'initiative individuelle, ce qui a pour effet de faire baisser le niveau de vie général, un escalier égalitaire ne montant pas très haut.

Il faut donc choisir entre un système qui enrichit les plus aptes tout en laissant quelque bénéfice aux autres, et un système qui se veut plus satisfaisant pour la morale, mais qui a de moins en moins de richesse à partager. Jusqu'ici, personne n'a réussi à combiner de manière satisfaisante les avantages de l'un et l'autre régime.

Cependant, l'on parvient assez souvent à additionner leurs inconvénients.

Le libéralisme et le socialisme sont deux matérialismes, l'un pratique, l'autre doctrinal, qui ne peuvent corriger leurs défauts qu'en se dépassant eux-mêmes, le premier en s'employant à changer ses sociétés anonymes en sociétés de personnes, le deuxième en réfrénant la tendance qui le porte à intervenir de manière despotique dans tous les domaines où la liberté lui paraît aller contre l'égalité.

La personne humaine est traitée en ennemie par les deux systèmes avec, toutefois, une férocité inégale. L'un la soumet à la loi de la réussite, qui endurcit les cœurs, ou les humilie; l'autre la contraint à une obéissance que le totalitarisme (aboutissement fatal de toutes les idéologies) rend dégradante.

Ces deux formes d'abolition de la personne ne sont pas satisfaisantes pour l'esprit, et il faut toujours, selon le mot de Simone Weil, se tenir prêt à « changer de camp avec la justice ».

Quel est le meilleur régime politique?

Montesquieu, qui fait autorité en la matière, distingue trois formes de gouvernement : la monarchie, l'aristocratie et la démocratie. Chacun d'eux comporte des variantes, la monarchie pouvant être absolue ou constitutionnelle, l'aristocratie tenant son pouvoir d'une petite partie du peuple, la plus ancienne ou la plus riche, la démocratie pouvant être directe, comme en Suisse, ou indirecte, comme dans la plupart des pays évolués où le pouvoir est exercé par délégation du corps électoral. Dans la monarchie, le pouvoir vient censément du ciel ; dans l'aristocratie, de la fortune ou du prestige des armes ; dans la démocratie, la souveraine puissance réside théoriquement dans le peuple. Chacun de ces régimes ayant ses avantages, la garantie de la religion dans le premier, celle de l'expérience du pouvoir dans le deuxième, le consentement populaire dans le troisième, il semble qu'une combinaison de ces trois principes de gouvernement donnerait de meilleurs résultats que l'adoption d'un seul, et serait des plus avantageuse pour le bien public.

Cependant, la fusion de ces trois sortes de pouvoirs a été opérée par les régimes totalitaires. Le Chef disposait des pouvoirs d'un monarque absolu, son Parti constituait une sorte d'aristocratie, et l'assentiment populaire était obtenu par un plébiscite équivalant à un testament après lequel le peuple était mort.

Montesquieu était un grand esprit, mais son aversion pour la métaphysique lui a masqué une partie du sujet. Les régimes politiques ne sont pas à distinguer par leur origine seulement, mais plus encore par leur finalité.

La monarchie de droit divin, dont la France a fourni le modèle pendant des siècles, est sans rapport avec la monarchie constitutionnelle, qui est une forme bâtarde de démocratie, ni avec ces monarchies idolâtriques dont le chef non pas sacré, mais sacralisé, faisait adorer ses effigies dans les temples. La monarchie de droit divin présentait l'originalité d'être close sur ce monde, et ouverte sur l'Autre. On ne pouvait rien changer à l'ordre établi, mais cet ordre n'était pas à lui-même sa propre fin, il avait pour mission implicite de maintenir la société en état de faire son salut. Il va sans dire que le pouvoir n'avait pas toujours, ni même souvent, une conscience claire de ce devoir ; il n'en reste pas moins qu'il était inhérent au principe même du droit divin.

Le pouvoir aristocratique n'a pas d'autre finalité que sa propre conservation, ce qui suffit à le rendre détestable, même lorsqu'il s'exerce avec talent. Comme il ne dépend ni de Dieu ni du peuple, il ne se maintient que par la force, la corruption, l'entretien de toutes les divisions sociales, et il finit toujours par se détruire lui-même.

La finalité de la démocratie est l'abolition du pouvoir politique par la superposition et, si possible, l'annulation des organes du gouvernement; le législatif, l'exécutif et le judiciaire se neutralisant réciproquement pour aboutir à la situation idéale où le citoyen exercera pleinement sa liberté, sans contrôle ni contrainte. Cet idéal n'a encore été atteint dans aucun pays, mais il inspire, plus ou moins consciemment, toutes les sociétés démocratiques.

Les révolutions?

La misère des peuples, offense à la dignité humaine, est cause de toutes les révolutions. En 1789, le peuple de Paris réclamait du pain et, en même temps, ne supportait plus le dédain plus ou moins marqué de feinte bonhomie des gens que l'on disait « nés », façon de suggérer que les autres n'étaient même pas venus au monde. En 1917, la Révolution russe a pris appui sur les souffrances des pauvres, comme en 1930 la révolution hitlérienne s'est nourrie des malheurs du peuple allemand. Les coups d'État, les coups de force militaires, les destitutions de princes par d'autres princes et les diverses formes de violences qui permettent à l'ambition de s'emparer du pouvoir ne méritent pas d'être appelés des révolutions, car ils n'apportent aucun changement profond dans la vie sociale. La révolution véritable modifie brusquement le cours de l'histoire.

Cependant, si la misère et la dignité offensée expliquent les révoltes, elles n'expliquent pas les révolutions.

Les révolutions modernes ont toutes une origine commune, lointaine, métaphysique et généralement inaperçue. La Révolution française, qui est leur mère, en tout cas leur matrice, n'a pas commencé en 1789, mais bien avant, vers le milieu du XIIIe siècle, lorsque l'histoire a cessé de tourner autour de Dieu pour tourner autour de l'homme, changement d'une violence inouïe, parfaitement illustré par le passage définitif du style roman au style gothique. L'arc brisé marque la rupture de l'alliance. La voûte romane englobait symboliquement le ciel et offrait à Dieu le paisible séjour d'une géométrie accueillante et simplifiée. L'élan gothique est d'une tout autre inspiration : c'est l'homme qui monte vers le firmament, sans que l'on puisse dire avec certitude si c'est

pour aller rendre à Dieu sa visite de Beth-
léem ou pour s'assurer qu'Il n'existe pas.
Toute la suite de l'histoire jusqu'à nos jours
n'est que le lent et irrésistible développement de cette conversion initiale à partir de
laquelle l'homme, qui cherchait Dieu, ne
cherchera plus que l'homme. Toutes les
révolutions ont une origine purement spirituelle. La prochaine aura lieu sous la terre,
lorsque l'homme, après avoir répété pendant des siècles que « Dieu est mort », ira Le
chercher dans de nouvelles catacombes.

La théocratie est-elle un bon régime?

Sans doute. Un régime où le pouvoir, qui vient de Dieu, est exercé par les ministres du culte, ou sous leur surveillance, ne peut qu'être agréé par des chrétiens.

Cependant, l'Évangile ordonne de « rendre à César ce qui est à César, et à Dieu ce qui est à Dieu ». Il y a donc, selon la doctrine chrétienne, nécessaire séparation des pouvoirs.

De tous les régimes politiques, la théocratie est certainement, pour les chrétiens, l'un des plus mauvais. La raison en est simple : aucun régime politique ne pourrait pratiquer l'Évangile dans toute sa rigueur sans se détruire lui-même. En effet, il lui serait impossible d'élaborer un code pénal enjoignant à la justice de pardonner septante-sept fois sept fois au délinquant, ou une législation faisant obligation aux victimes d'une brutalité de tendre la joue gauche après la joue droite. Une théocratie aurait donc deux morales, l'une pour l'État, l'autre pour les particuliers, dualité qui ressemblerait à une duplicité. La séparation des Églises et de l'État est donc une bonne chose, et l'on notera qu'elle ne date pas de 1905, mais de l'Évangile lui-même.

La peine de mort?

Les partisans de la peine capitale font observer que si elle n'a pas d'effet dissuasif, elle empêche en tout cas la récidive; que certains criminels ne prennent conscience de leur faute que lorsqu'ils se trouvent placés eux-mêmes devant une échéance fatale, ce qui peut les conduire à un repentir sincère dont il n'y a pas de raison de les priver; qu'il est paradoxal d'abolir la peine de mort, et d'encourager l'avortement; que les peines dites de substitution, comme la prison à vie, ne sont que des applications lentes, cruelles et hypocrites de la peine capitale, où le condamné finit par mourir d'avilissement; que, si l'on juge normal en temps de guerre de fusiller le traître ou l'espion qui met en danger ses camarades de combat, il le serait

147

tout autant de supprimer l'individu qui s'attaque à des vieillards, à des femmes ou à des enfants sans défense, qui ne valent pas moins que des soldats; au surplus, si la peine de mort a été supprimée dans certains États pour des raisons humanitaires, ces mêmes raisons ont conduit à la rétablir quelque temps plus tard.

Cependant, l'abolition de la peine de mort est généralement considérée comme un progrès de la civilisation contemporaine.

Les arguments énoncés plus haut sont recevables, et l'on peut même ajouter à leur énoncé que les croyants d'autrefois, en prenant la vie d'un coupable, croyaient sauver son éternité. Mais comme il est impossible de tuer quelqu'un de sang-froid, sauf insensibilité suspecte; comme le condamné meurt en réalité trois fois (quand il apprend la sentence, quand on vient lui signifier, avant de l'empoigner, qu'il n'y a pas eu grâce, et enfin quand on le met effectivement à mort), la peine capitale est *physiquement* inapplicable, et l'abolition ne fait que prendre acte de cette impossibilité.

Les sectes?

Beaucoup d'êtres jeunes ou moins jeunes, inquiets ou esseulés, trouvent dans les sectes un refuge contre le monde, une certaine chaleur communautaire, une vie spirituelle simplifiée et, surtout, les certitudes sur l'au-delà que les Églises hésitent de plus en plus à énoncer. La direction d'un maître à penser ou « gourou » les soulage de leurs angoisses et leur procure le bienfait d'une obéissance qui les délivre d'eux-mêmes. La défaillance mystique des Églises a favorisé l'essor des sectes qui se sont multipliées en Afrique, en Amérique, et même en Europe depuis une trentaine d'années.

Cependant, plusieurs de ces prétendus experts en spiritualité que l'on appelle

« gourous » ont entraîné leurs malheureux disciples dans un brasier final évoquant moins le suprême sacrifice de la foi que la mort du scorpion.

La secte est une entreprise d'exploitation rationnelle de la naïveté ou du désarroi des cœurs simples, et les gourous édifient d'énormes fortunes en enseignant le désintéressement. Ils prétendent détenir les ultimes secrets de la vie et de la mort, et laissent volontiers entendre qu'il pourrait bien y avoir quelque chose de divin dans leur personne. Leur doctrine est le plus souvent un mélange sirupeux de notions dépareillées et affadies tirées des techniques spirituelles de l'Orient ou des rebuts de la pensée chrétienne. Il peut arriver aussi que leurs monastères ne soient que des lupanars où l'adolescence perd ce que l'abrutissement doctrinal a pu lui laisser de fraîcheur. Parler de « mysticisme » à propos des sectes est un abus de mot déplorable. Le mysticisme oriental est d'un raffinement métaphysique dont elles n'ont pas la moindre idée, et la mystique chrétienne est un embrasement de l'âme dont la cause leur échappe complètement.

Il est peu équitable d'imputer à une défaillance des Églises le déplorable succès des sectes. Les Églises ne sont pas parfaites, mais, à la différence des sectes, elles le savent, et à l'occasion le disent; elles sont même seules ici-bas à reconnaître leurs insuffisances, ce qui devrait leur valoir l'amitié des hommes, qui ne sont pas parfaits non plus.

Dieu ?

C'est la question que tout le monde se pose, et à laquelle personne ne peut répondre. Car, s'il est vrai que l'idée de Dieu a joué un rôle primordial dans l'histoire de l'humanité, il ne l'est pas moins que l'existence de ce Dieu n'a jamais été prouvée de manière irréfutable. La croyance ne repose pas sur la raison, mais sur un certain nombre de témoignages incontrôlables (tels ceux de Moïse ou de saint Paul) que l'esprit scientifique ne peut que rejeter pour deux raisons : ces expériences individuelles ne sauraient être ni vérifiées, ni reproduites. Le mieux est donc de renoncer à caser Dieu dans l'intelligence humaine, comme la religion d'aujourd'hui le fait elle-même en l'appelant le « Tout-Autre » ou l' « Inconnaissable », manière assez leste de fuir le débat.

Cependant, il reste, selon la pénétrante remarque d'un rabbin, que pour notre esprit, le point le plus important, c'est Dieu, « qu'Il existe ou qu'Il n'existe pas ».

Non seulement la raison peut très bien prouver l'existence de Dieu, mais elle n'a jamais réussi à prouver autre chose, si bien que le seul moyen qu'elle ait trouvé d'échapper à cette conclusion est de se mettre elle-même en doute.

On se demande combien de temps encore il faudra à l'intelligence humaine pour voir ce qu'il y a d'évident, de génial et de joyeusement réaliste dans l'idée de « création divine », comparée au rêve rationaliste d'un rien battu en neige, et qui pense.

Nos limites?

L'être humain est d'un format exigu qui rend ridicules ses prétentions à agir sur le monde. En effet, la gamme des fréquences que nous sommes en mesure d'enregistrer est des plus réduites : nos perceptions sensorielles occuperaient à peine quelques millimètres sur un ruban d'un kilomètre. Notre raison elle-même est bornée et ne comprend rien au temps, à l'espace, au vide, ni même à ses propres énoncés, tel, par exemple, celui qui suggère que « l'univers n'a pas d'extérieur ». Mieux vaut donc renoncer à englober le ciel et la terre dans une pensée qui repose sur de si faibles facultés.

Cependant, Albert Einstein affirmait que c'était la chose la plus merveilleuse du monde, que ce monde fût intelligible.

Les limites de l'être humain sont un bienfait miraculeux dont il faut rendre grâce à Dieu, la nature étant indifférente aux témoignages de reconnaissance.

Je ne sais quel genre d'équipement sensoriel nous permettrait d'enregistrer simultanément toutes les fréquences et vibrations de l'univers, mais il est probable que nous y perdrions la musique, la peinture et toutes les formes de composition artistique, en échange d'un mugissement phénoménal accompagné d'un scintillement hallucinant de couleurs indiscernables. Nous ignorerions la divine « proportion » dont nous avons déjà parlé, cet accord étrange entre le fini et l'infini, et nous ne serions pas avertis par la charitable fausse note qu'il y a désaccord avec certaine harmonie secrète de l'univers, dont le chant ne nous parvient que sous la forme muette des mathématiques.

La famille?

Valeur des sociétés primitives ou bourgeoises, la famille a été durement ébranlée par le déclin de l'esprit religieux, une compromission historique avec le régime de Vichy, la révolution culturelle de Mai 68 et, bien évidemment, par la généralisation du divorce et la pratique de plus en plus répandue du célibat. A ces éléments de désagrégation, il faut ajouter le travail des femmes, qui confient leurs enfants à des crèches et ne jouent plus guère chez elles leur rôle traditionnel de gardiennes du foyer, aussi bien que l'essor de la vie sociale, qui empêche la famille de se refermer sur elle-même comme autrefois. En résumé, la famille a cessé d'être une valeur de référence, l'autorité du père n'est plus qu'un souvenir, et la

mère n'exerce plus la domination de fait qui
était la sienne autrefois, car si la loi lui refu-
sait bien des pouvoirs, la nature lui en accor-
dait beaucoup. Il semble donc que l'on
puisse passer la famille par les profits et
pertes des temps modernes, et la jeunesse y
gagne beaucoup en liberté.

Cependant, la famille est une institution
naturelle.

1. L'habitude de marcher sur deux pieds
est également une habitude primitive avec
laquelle personne n'a encore songé à
rompre, bien qu'elle ait été adoptée par la
bourgeoisie.
2. Il est exact que le gouvernement de
Vichy avait inscrit la Famille, avec le Travail
et la Patrie, au fronton de son édifice consti-
tutionnel, à la place de la devise républi-
caine « Liberté, Égalité, Fraternité ». Mais de
ce qu'un mauvais régime s'arroge la défense
d'une valeur, il ne s'ensuit pas que celle-ci
soit mauvaise aussi.
3. Comme toujours, on attribue à la religion ce qui existait avant elle et qu'elle n'a

fait que codifier : le sens de la famille existe chez beaucoup d'animaux qui ne vont pas à la messe, et les animaux sont loin de donner le mauvais exemple aux humains.

4. La « révolution » de Mai 68 a fait l'objet d'un chapitre particulier. On notera simplement ici que ce ne sont pas les enfants de Mai qui ont causé les pires déprédations dans l'institution familiale; ce sont les adultes, avec leurs incertitudes morales et leur propension à fuir leurs responsabilités.

5. Il est exact que la famille pâtit de plus en plus de la multiplication des divorces, mais chacun reconnaît que ce sont les enfants qui souffrent le plus de cet état de choses, ce qui plaide moins pour l'abolition des valeurs familiales que pour leur restauration.

6. Les conclusions que l'on tire du travail des femmes sont fausses. Les femmes portent la double charge du travail et du foyer avec un courage dont bien peu d'hommes seraient capables, et qui devrait, par l'admiration et la reconnaissance qu'il mérite, resserrer plutôt que distendre le lien familial.

7. La famille n'est nullement l'invention de l'Église ou de l'État bourgeois dénoncée, depuis un siècle ou deux, par de piètres écrivains acharnés à combattre toute forme de morale qui pourrait faire apparaître leur médiocrité, c'est au contraire, en même temps qu'un refuge contre l'adversité, une cellule de résistance à l'oppression, si forte et si bien constituée que la première tâche que les tyrannies totalitaires s'assignent est de la faire voler en éclats, en enrôlant les enfants dans de tristes bataillons de culottes courtes et en s'efforçant d'introduire la délation dans les foyers. « Le véritable aventurier des temps modernes est le père de famille », disait Péguy. La famille ressemble moins à une institution bourgeoise qu'à une petite association de réfractaires, unis contre toutes les formes de pression extérieure, et le non-conformisme consiste aujourd'hui à la défendre plutôt qu'à l'attaquer.

La « bioéthique » ?

La puissante avancée des sciences de la vie a soulevé en chemin un grand nombre de problèmes de conscience inconnus des âges précédents, relatifs – entre beaucoup d'autres – au statut de l'embryon surnuméraire des fécondations médicalement assistées, aux manipulations génétiques, aux « mères porteuses », à l'euthanasie, aux dons d'organes, toutes questions auxquelles ni les philosophies, ni les religions, faute de compétence et même d'information scientifique, ne sont en mesure de répondre. Des « comités d'éthique » ont donc été constitués un peu partout, parfois jusque dans les hôpitaux, pour élaborer une sorte de mode d'emploi de l'être humain, et fixer des limites, sinon à la recherche, chose impossible et peu souhaitable, du moins aux applications pratiques des découvertes de laboratoire. C'est ce que l'on appelle la « bioéthique », discipline nouvelle et de grand avenir où les représentants de la philosophie et de la religion également défaillantes ne jouent qu'un rôle de simples consultants.

Cependant, les comités de « bioéthique » se bornent à publier des recommandations qui n'ont pas valeur de principes, et il semble bien qu'ils espèrent surtout que les découvertes nouvelles les délivreront des soucis que leur causent les précédentes.

Une éthique (ou une « bioéthique ») ne peut s'édifier que sur une conception claire de l'être humain.

Si celui-ci est un animal comme les autres, avec quelques capacités supplémentaires, certes, mais qui ne le font pas fondamentalement différent de ses « frères inférieurs », alors il n'y a aucune raison de le traiter autrement que le veau aux hormones ou le cochon greffé. Son embryon n'a pas

plus de valeur que celui d'un autre mammi-
fère, et l'on peut indifféremment le conge-
ler, l'utiliser en laboratoire ou le détruire,
après l'avoir qualifié, par simple précaution
verbale, de « pré-embryon » ou d' « être
humain potentiel », étant entendu que ce
qui est potentiel n'a pas encore d'existence
réelle et ne cause, évacué, aucune perte.

Il en va tout autrement si l'être humain a
une destinée éternelle, comme l'ont pro-
fessé certaines métaphysiques et comme le
croient encore les religions. En ce cas, sa
finalité agit dès son commencement et il y a
homicide à interrompre son action, ce
commencement d'éternité se présentât-il
sous l'apparence minuscule d'un embryon.

Or les comités d'éthique, s'ils prennent
l'avis des religions, ne peuvent en adopter
« scientifiquement » les perspectives divines,
et se contentent de fixer le bon usage de la
transplantation ou de la fécondation assis-
tée. Ils nous donneront une sorte de déonto-
logie qui s'abstiendra de conclure chaque
fois qu'une question pourrait conduire à
poser, en préalable, une définition de l'être
humain.

163

L'Homme en questions

Jusqu'ici, la « bioéthique », exception faite de quelques salubres recommandations pratiques sur les dons d'organes ou les « mères porteuses », n'a réussi qu'à faire apparaître cette cruelle évidence que nous ne savons pas ce que nous sommes.

Le pape et nous?

Esprit ouvert à toutes les questions sociales, Jean-Paul II montre des rigueurs dépassées dans le domaine de la vie privée. Il ne comprend pas le monde dans lequel il vit, et il condamne l'avortement, la contraception, la fécondation *in vitro*, le préservatif. Même les chrétiens, en tout cas leurs intellectuels et leurs journaux, se rebellent plus ou moins ouvertement contre ses instructions, qui du reste ne sont suivies par personne. Dommage pour sa popularité, qui fut grande.

Cependant, un pape a pour premier souci de plaire à Dieu plutôt qu'aux hommes, fussent-ils journalistes.

L'Homme en questions

Il est vrai que le pape condamne diverses manières modernes de comprendre ou de pratiquer l'amour, mais il ne condamne absolument personne, et en cela il agit à l'imitation parfaite de son maître Jésus, le Christ, qui le lundi définit de manière très sévère les lois du mariage, et le mardi pardonne à la femme adultère, ou noue une conversation (éblouissante) avec une Samaritaine qui a eu cinq maris et qui vit en concubinage avec un sixième compagnon.

Le monde d'aujourd'hui, qui préfère légaliser l'adultère, en attendant de le rendre obligatoire, ne comprendra jamais que le christianisme, c'est la loi, à partir de laquelle il n'y a que des exceptions.

La drogue?

Pour Karl Marx, la religion était l' « opium du peuple ». Les temps ont changé et l'on peut dire aujourd'hui que l'opium est devenu la religion du peuple, tant l'usage des stupéfiants s'est répandu dans nos sociétés. Le commerce de la drogue est le plus florissant du monde et, bien loin d'en pâtir, il se nourrit de la crise et de la récession comme de tout ce qui peut inquiéter ou désespérer les hommes. Comme des enfants de plus en plus jeunes sont de plus en plus nombreux à être atteints par ce fléau, qui cumule ses ravages avec ceux du sida, et comme il est impossible de juguler un trafic de mieux en mieux organisé contre la répression, il semble indiqué, et raisonnable, d'autoriser la vente des drogues douces et de fournir des seringues neuves aux usagers des drogues dures. Au surplus, l'être humain n'est-il pas libre de vivre comme il l'entend, et de quel droit l'État lui interdirait-il l'accès aux paradis artificiels quand il est incapable de lui procurer une terre acceptable ?

Cependant, le meilleur moyen de combattre un mal n'est pas de le légaliser.

C'est en effet la tentation permanente des régimes occidentaux de codifier ce qu'ils renoncent à empêcher, et de se représenter leurs capitulations comme des victoires. Ainsi a-t-on salué l'avortement légal comme un grand succès sur l'avortement clandestin, tout en expliquant aux femmes que ce mal était devenu subitement un bien, alors qu'il reste, pour celles qui ont recours à cet expédient dramatique pour des raisons qu'il n'appartient à personne de juger, une souffrance et un chagrin que la loi est bien incapable d'adoucir.

On a tout dit et tout écrit sur la drogue, dénoncé minutieusement tous ses méfaits,

étudié avec beaucoup de compétence et de
générosité tous les moyens de combattre ce
fléau, sauf un : l'éducation spirituelle pré-
coce, dont on refuse de voir qu'elle est indispensable à la formation du caractère, et
qu'elle seule, sauf le cas d'un heureux naturel, peut rendre apte à la résistance morale.
Dans nos écoles, l'intelligence est à l'honneur, la morale sociale, souvent, le devoir
civique, quelquefois, mais, depuis cent ans,
l'esprit y est interdit de séjour à cause de ses
fâcheux antécédents religieux. J'appelle
esprit cette pure aptitude au divin, autrement dit à l'absolu et à l'éternel, qu'il y a
grave danger à négliger, car cette même
aptitude, quand elle est mal orientée,
devient terriblement négative et destruc-
trice. Il n'y a point de cours de vie spirituelle
dans nos écoles, mais, si cela continue, on y
verra bientôt les billets de banque et les
boules de crack s'échanger sous les tables de
la maternelle.

Et n'oublions pas la responsabilité des
adultes. Leur scepticisme et leur morosité
laissent trop souvent croire aux enfants
qu'ils n'ont pas d'autre avenir que celui du

chômeur assisté, qui mène à la situation désespérée du chômeur en fin de droits. Quand tout va bien dans l'économie d'un pays, l'optimisme est une niaiserie; quand tout va mal, c'est un devoir.

L'histoire?

On l'a dit bien souvent, l'histoire est la mémoire de l'humanité, de sorte qu'un peuple sans histoire, ou amnésique, ne saurait rien de lui-même, n'aurait point d'identité, point d'état civil, et n'existerait pas plus qu'il n'existe des peuples de moutons ou des nations de moustiques. L'histoire nous est connue par la tradition orale, par l'écrit, par les monuments du passé et par toutes les traces que l'homme peut laisser de son passage sur la terre. Il est communément admis qu'elle a un sens, ou une direction, qui mène irrésistiblement les hommes de leur origine animale vers des accomplissements successifs où ils acquièrent peu à peu, en dépit de certaines périodes de régression, la pleine dimension de leur pouvoir sur la

nature et sur eux-mêmes. Aussi peut-on parler de l'Histoire avec une majuscule, dans la
mesure où elle constitue peu à peu le dos-
sier que l'humanité plaide avec de plus en
plus de succès contre la dictature malveil-
lante de ce que les Anciens appelaient le
Destin.

Cependant, la vie, dit Shakespeare, « est
une fable débitée par un idiot, pleine de
bruit et de fureur, et qui ne signifie rien », et
l'on peut en dire autant de l'histoire, avec ou
sans majuscule, car depuis le commencement des temps l'humanité se déplace dans
une traînée de sang, sous une voûte de cris,
de rires et de sanglots.

L'histoire, en vérité, se déroule sur trois
plans superposés : le plan de la vie quotidienne, domaine de la politique, des relations sociales et de tout ce qui contribue à
former l'aspect pratique des civilisations ; le
plan culturel, nettement plus élevé, où s'éla-
borent, se combattent ou s'entrecroisent les
idées, spéculatives ou créatrices ; enfin, très
haut dans l'inconnu, le plan spirituel où, de

172

loin en loin, sans que l'on ait jamais su pourquoi ni comment, l'humanité se tourne vers Dieu, ou se détourne de Lui pour une période indéterminée : par exemple, à partir de la fin du XIIIe siècle, l'humanité prise dans son ensemble a quitté Dieu (ou l'idée de Dieu) du regard pour reporter celui-ci sur elle-même par une sorte de revirement de contemplation dont les effets durent encore.

Ces trois plans, que nous avons étudiés dans un autre ouvrage [1], ne sont jamais synchrones, sauf exceptions rarissimes (le siècle de Périclès, le règne de Saint Louis).

Sur le plan qui est le sien, la vie quotidienne évolue très lentement : lorsque les Égyptiens ont utilisé la pierre au lieu de la brique, ils ont taillé les pierres en forme de briques pendant des siècles.

Le mouvement est bien entendu beaucoup plus rapide sur le plan des idées, qui informent la politique en la précédant de manière parfois dangereuse, car lorsque l'écart est trop grand, la révolution éclate : ainsi en France, à la fin du XVIIIe siècle, les

---

1. *La Baleine et le Ricin*, Fayard, 1982.

173

idées avaient pris une telle avance sur la théologie du trône et de l'autel que la monarchie ne pouvait plus que périr en cherchant vainement à les rejoindre.

Enfin, sur les hauteurs mystérieuses de l'esprit, nul ne peut dire comment ni pourquoi se prennent d'un millénaire à l'autre les décisions qui orientent l'humanité tout entière en la faisant changer brusquement de cap, « comme un essaim d'abeilles au milieu d'un champ », sans qu'elle ait conscience elle-même de sa conversion. Ainsi, l'humanité – et tout le secret de l'histoire est là – se rapproche de Dieu, ou elle Lui tourne le dos.

Pour l'instant, elle s'éloigne de Lui vers le néant à la vitesse de la lumière.

L'art ?

On rappellera ici la définition du professeur Bernard, citée au début de cet ouvrage : « L'homme est un animal capable de créer. » Ce pouvoir créateur se manifeste dans bien des domaines, mais surtout dans celui des arts plastiques, désormais affranchis de tous les conformismes et de toutes les contraintes du passé. L'œuvre d'art exprime aujourd'hui la souveraine liberté de l'artiste, qui n'a de comptes à rendre à personne ni à Dieu, ni à la nature, ni au public des galeries qui, après un long et parfois douloureux apprentissage, a enfin compris qu'il n'y avait rien à comprendre.

Cependant, l'œuvre d'art sert à l'élévation

de l'esprit, ou ne sert à rien, et l'esprit a besoin d'intelligibilité.

1. De même que, d'extension en extension de sens, le mot « culture » finit par désigner n'importe quoi, y compris la manière de se gratter l'oreille, on parle d' « arts plastiques » à propos de productions qui ne relèvent ni de l'art, ni de la plastique.

2. Pour Léon Bloy, l'art était « un parasite aborigène de la peau du premier serpent ». Lui-même était un grand artiste, et il cherchait sans doute à nous faire comprendre que l'art était un faux dieu incapable de tenir ses promesses, car tout ce qu'il nous offre, et qui nous charme, finit toujours par se dissoudre, quand nous ne le détruisons pas nous-mêmes.

3. Ce serait une première erreur de rejeter l'art moderne en bloc comme l'expression finale d'une inexorable décomposition des esprits et des mœurs, car il ne fait guère, spécialement en peinture, que transcrire fidèlement l'incertitude des sciences sur l'origine, la nature et ce que l'on pourrait appeler les caprices ordonnés de la matière.

Une deuxième erreur serait de s'extasier sans discernement sur des « œuvres d'art » qui doivent beaucoup au hasard, un peu au talent, et rien à l'inspiration contemplative grâce à laquelle l'art est un mensonge qui dit la vérité.

Il semble bien que l'art moderne soit en réalité non un art décadent, mais, au contraire, un art primitif qui rompt, désagrège les formes et, en quelque manière, broie les couleurs d'une future vision du monde dont il n'a pas encore la moindre idée.

4. Renoir considérait *La Dentellière* comme le plus beau tableau du monde, et il ne songeait pas seulement à la suprême habileté technique de Vermeer. Il y a, dans ce cadre exigu, une condensation de tendresse minutieuse, à la fois paisible et inquiète du moindre détail, qui fait penser à cette parole de l'Évangile : « Tous les cheveux de votre tête ont été comptés. »

Cela s'appelle l'amour, et c'est justement d'amour que l'art moderne manque le plus cruellement.

La religion?

Liée à l'enfance de l'humanité, la religion a été, conjointement, un moyen naïf de s'expliquer et de se concilier les forces obscures de la nature. Le tonnerre était l'expression de la colère de tel ou tel dieu, qui pouvait être apaisée par un sacrifice accompagné de prières propitiatoires. Les progrès et les découvertes de l'intelligence ont eu raison des « mystères » de la religion qui, de nos jours, s'est réfugiée dans le réduit de la morale et ne s'aventure plus sur le terrain de la pensée pure, par crainte d'y être ridicule. Le règne de la religion sur l'esprit humain est terminé.

Cependant, l'intelligence humaine ne se satisfera jamais des réponses qu'elle se donne, et ce qu'elle connaît bien lui est encore plus mystérieux que ce qu'elle connaît mal.

Une erreur fondamentale est à corriger. La pensée religieuse n'est pas un substitut souffreteux de la pensée rationnelle ou scientifique. Elle résulte d'un sens aigu du mystère du monde, que tous les progrès de la connaissance laissent parfaitement intact ; sa relation à l'univers relève de l'intuition poétique, et il est aussi peu concluant de lui opposer les sciences naturelles que de faire réfuter Claudel par des experts-comptables.

On voudra bien pardonner à l'auteur de se répéter : la foi est ce qui permet à l'intelligence de vivre au-dessus de ses moyens.

Donc, la religion n'a rien à redouter des progrès de la connaissance ; le doute sur elle-même est le seul danger qui la menace.

La personne?

Est considéré comme une personne l'individu doué d'une conscience propre du bien et du mal qui le rend apte à la vie morale, sociale et politique, ce qui est le cas de tous les hommes. La personne a été longtemps méconnue ou méprisée dans les sociétés esclavagistes, même hautement civilisées comme la société grecque, ou, assez récemment encore, dans les régimes aristocratiques où les différences de classe étaient pratiquement des différences d'espèce, du lion au rat, comme dans les fables de La Fontaine. Depuis l'avènement des démocraties, sacralisé après la dernière guerre mondiale par la proclamation universelle des droits de l'homme, tout citoyen (ou citoyenne) de toute origine et de toute condition est une personne protégée par la loi et les institutions.

Cependant, les faits, dans le monde politique, coïncident rarement avec les textes.

Dans la mesure où elle est apte à juger du bien et du mal de manière objective, c'est-à-dire indépendamment de son intérêt propre, la personne est l'ennemie-née de tous les régimes politiques, et elle est traitée par eux en conséquence. Les régimes totalitaires l'annihilent par tous les moyens, en lui ôtant la parole, en la forçant à opter contre sa conscience et, si possible, à se déshonorer en participant à la propagation d'un mensonge officiel, ce dont elle retire un tel dégoût d'elle-même qu'elle devient incapable de révolte. Le régime léniniste-stalinien a si bien, pour ainsi dire, exproprié les personnes qu'elles ont, aujourd'hui, toutes les peines du monde à reprendre possession d'elles-mêmes.

Les régimes libéraux, qui ne reconnaissent guère d'autres lois que celles du marché, sont moins brutaux, mais ils n'aiment pas plus les personnes que les dictatures, et ils ne leur proposent rien d'autre que l'alternative de la réussite, où elles risquent de perdre leur âme en participant à une entreprise anonyme de domination qui écrase les plus faibles sans même s'en apercevoir, ou la soumission au système qui les nourrit au plus juste et ne leur laisse d'espérance que dans le rêve.

La personne et le pouvoir seront éternellement antagonistes, car la personne peut dire « non », ce que le pouvoir n'aime guère, et elle appartient à Dieu – qui n'est pas un ami de César.

« Après la vie » ?

Depuis quelque temps, de nombreuses personnes entrées dans le coma à la suite d'une maladie, d'une opération ou d'un accident, rapportent qu'elles ont vu briller soudain sur elles une lumière éblouissante et douce qui les a emplies d'une paix et d'une joie dont elles s'émerveillent encore, bien après leur retour à la vie. Ces expériences, qui indiquent de manière concordante qu'il y a une vie après la mort, sont à rapprocher des expériences mystiques, auxquelles elles apportent une confirmation physique d'autant plus intéressante qu'elle ne doit rien à la religion. Il semble donc qu'il existe, pour l'être humain, une espérance naturelle indépendante de toute morale et de toute spiritualité.

Cependant, la mort n'est pas une excursion.

Il serait indécent de mettre en doute des témoignages que nous présentent, à peu près dans les mêmes termes, des personnes d'une indubitable sincérité. Mais, en attendant que ces cas de survie, ou plutôt de « surmort », soient élucidés, il faut dire ici que la lumière dont nous parlent les bénéficiaires est sans rapport avec la lumière de l'expérience mystique. Celle-ci, en effet, ne se borne pas à se montrer aimablement accueillante et douce. C'est une lumière *enseignante*, chargée d'informations, une condensation de vérités spirituelles d'une intensité presque insoutenable. Ce caractère essentiel est absent des relations sur « la vie après la mort », et incite à les recevoir avec une prudente sympathie.

Le travail?

« Tu gagneras ton pain à la sueur de ton front », dit la Bible. Le travail est donc une malédiction consécutive au péché originel dont les classes élevées se sont de tout temps déchargées sur les individus des classes inférieures, esclaves, serfs, manants de toute espèce, tâcherons et ouvriers. Les nobles tenaient à honneur de n'exercer aucun métier, si ce n'est celui des armes qui les rapprochait quelque peu du prêtre, ou du sacrificateur, par le raccourci de l'immolation ; quant aux possédants, ils faisaient et ils font toujours « travailler leur argent » plutôt que leur personne. Bref, le travail a toujours été considéré comme une activité subalterne, salissante et qui pouvait même porter à l'immoralité : pendant la répression de la

Commune de Paris, on a vu qu'il pouvait être dangereux de montrer des mains calleuses aux pelotons des fusilleurs. Le travail intellectuel lui-même n'a pas toujours échappé à la règle : sous l'Ancien Régime, il était déconseillé d'écrire autre chose que des ultimatums ou des billets doux, car on ne voyait aucune différence entre l'écrivain qui cherche un public et la prostituée qui guette le client.

Cependant, le croyant pense que le travail l'associe à l'œuvre divine, et l'incroyant qu'il manifeste l'emprise de l'homme sur la nature.

Ce n'est pas sous l'Ancien Régime, mais probablement au XIXe siècle, le siècle du mufle (on se demande par exemple comment le romantisme, cette espèce de cavalcade de rhinocéros sur le ventre de la Beauté, a pu se faire la réputation d'une école de sensibilité), que le mépris des humbles a atteint son point culminant. Le patron d'époque, qui n'avait pas eu à acheter son ouvrier comme le Romain son esclave, le traitait moins bien que son cheval, qu'il n'avait pas eu pour rien. Depuis, le travailleur est un peu mieux considéré et surtout mieux protégé, grâce, non pas au progrès spontané de la morale, mais à l'énorme frayeur causée dans le monde industrialisé par la Révolution russe. Quant au travail lui-même, il a failli être frappé d'indignité nationale pour avoir figuré avec la famille et la patrie parmi les valeurs théoriquement fondamentales du régime de Vichy. Il a finalement gagné son procès. L'on convient aujourd'hui, alors que le chômage s'étend et que le travailleur est couramment remplacé par une puce, que le travail ne permet pas seulement d'ajouter quelque chose à la Création, comme le pensent justement le croyant et l'incroyant : il est, de toute évidence, l'une des premières conditions des bonheurs simples de la vie.

La souffrance?

Ce sujet de révolte et d'effroi a été abordé dans *Dieu en questions* sous l'angle de la foi, mais la raison, ici, ne saurait tenir pour explicative l'intervention d'un Être imaginaire que personne n'a jamais vu, qui ne se manifeste d'aucune manière perceptible. Au surplus, ce que la religion nous dit de la bonté de Dieu est en contradiction radicale avec ce que nous voyons du malheur des gens. La seule explication plausible de la souffrance est celle que Theilhard de Chardin nous donne à la fin de son livre *Le Phénomène humain*, où l'affaire est réglée en quatre lignes : souffrances et douleurs sont les déchets, les inévitables scories d'un monde en état d'assomption vers une forme d'existence supérieure.

Cependant, le poids d'une seule larme d'enfant suffit à bloquer net le mécanisme ascensionnel du père Teilhard de Chardin.

1. Il n'y a pas un atome de spiritualité dans les théories du penseur en question. Aucune âme compatissante n'acceptera jamais d'envoyer la croix et les clous du Christ au dépotoir des rebuts et déchets d'une espèce de machinerie transformiste privée de sentiment.

2. Le mal et la douleur en conduisent effectivement beaucoup à nier l'existence de Dieu, de sorte que, pour eux, les souffrances passées, présentes et futures ont crié, crient et crieront éternellement en vain dans le silence des univers.

3. Il n'est pas sûr que la raison soit aussi résignée à l'irréparable qu'on le suppose. On nous a dit au début de cet article qu'elle ne pouvait accepter les explications de la foi; mais la foi ne donne pas d'explications; elle est un don réciproque entre Dieu, d'où procède tout amour, et la personne, qui lui voue son être comme le meilleur usage

192

qu'elle puisse faire de sa liberté. La foi ne se charge pas de résoudre les énigmes du monde, et elle ne demande pas ses raisons à l'amour.

On est fâché de contredire le rationalisme sur le point où il se croit le plus fort. Si Dieu était une invention (Il n'en est pas une), cette invention ne serait pas l'œuvre de la foi, mais celle de la raison, qui ne peut admettre que le désordre et l'injustice de la souffrance restent à jamais sans réparation. Les motifs qui poussent le rationalisme à rejeter Dieu sont exactement ceux qui Le rendent nécessaire.

La justice?

On ne parlera ici que de la justice des jours ordinaires, celle que l'actualité nous a rendue familière, sans nous rassurer pour autant, et l'on constatera que si les hommes la demandent partout, elle ne leur est rendue nulle part. Tout d'abord, on observera qu'il existe, dans nos démocraties, deux manières de juger qui ne sont pas plus satisfaisantes l'une que l'autre :

La manière anglo-saxonne juge les faits sans se préoccuper le moins du monde de la psychologie de l'accusé, qui n'a nulle indulgence à attendre de juges coiffés d'une perruque indiquant clairement que l'on n'a pas affaire ici à des êtres humains, mais à une institution personnifiée et statufiée qui ne connaît pas plus la pitié que le pardon; or, dit Bernanos, la justice sans la miséricorde est une bête féroce.

La manière française, plus théologique, étudie si attentivement l'assassin qu'elle finit par oublier la victime, qui d'ailleurs est censément au paradis : il s'agit de savoir si l'accusé est coupable dans l'absolu, s'il a voulu le mal pour le mal, cas extrême justiciable de l'enfer, ou si quelque temps de purgatoire suffira à l'amender; la justice française juge les âmes, ce pour quoi les juges portent une sorte de soutane. Mais elle ne les juge pas mieux que la justice anglo-saxonne, qui a plus d'un pendu par mégarde sur la conscience.

La liste des erreurs de la justice humaine est si longue que l'innocent a plus de raisons encore que le criminel de se présenter devant elle en tremblant.

Cependant, les hommes croient à la justice, surtout quand ils doutent des juges.

Que la justice humaine soit faillible, on ne le sait que trop. Il lui arrive même de se tromper deux fois de suite, et de corriger une erreur par une iniquité, par exemple en condamnant Dreyfus une première fois sur un faux, et une deuxième fois pour ne pas se déjuger. Mais son principal défaut n'est pas là. Nous ne pouvons pas trop lui reprocher ses faiblesses, qui ne font pas que des victimes, mais il nous faut bien constater qu'elle arrive toujours trop tard, alors que le présumé coupable est déjà largement contaminé par des fréquentations ou des habitudes malsaines contre lesquelles nulle formation ne l'aura prémuni. (La République, dans sa peur de la religion, se méfie même de la morale et n'offre guère à ses enfants, pour les instruire de la vie, que des morceaux choisis de Prévert, qu'elle préfère à saint Augustin, ou de Boris Vian, qui lui paraît surplomber Pascal.) Recevant l'accusé dans l'état lamentable où l'ont mis des années d'errance et d'asphyxie intellectuelle, la justice ne peut plus que le condamner sans avoir le moyen de le relever, de l'aider, de l'absoudre encore moins. Et ce n'est pas sa faute, elle ne peut faire autrement que de punir le mal commis par un individu auquel on n'a jamais montré où était le bien. Ce n'est pas la justice qui est à réformer; c'est le système qui lui envoie des clients.

L'écologie?

Les militants écologistes ont été les premiers à dénoncer les dangers que font courir aux équilibres naturels de notre planète les abus de l'industrialisation, les diverses formes de pollution qui corrompent les rivières, voire les océans; les défaillances du nucléaire, qu'ils proposent de remplacer par l'énergie du soleil et celle du vent, etc. Défenseurs inlassables de la pureté de l'environnement, ils préconisent le retour à une vie plus saine, plus simple, plus communautaire, et leur idéal, qui est un peu celui du « bon sauvage », exerce un indéniable attrait sur la jeunesse. Leur influence n'a cessé de croître, au point de contraindre les partis politiques à rechercher leur alliance. Il est certain que l'avenir leur appartient – si l'« effet de serre » ne rend pas la Terre inhabitable, si l'Antarctique ne dégèle pas subitement, et si la tonsure de la couche d'ozone (trois périls auxquels ils sont fort attentifs) ne s'élargit pas au point de mettre fin au débat.

Cependant, l'écologie est une science, sinon exacte, du moins très rigoureuse, et les écologistes de tréteau sont à cette discipline ce que le guérisseur est au médecin.

La meilleure des définitions de l'écologisme nous a été léguée par Raymond Loichot, parodiant une célèbre formule de Lénine : « L'écologie, c'est le socialisme, moins l'électricité. »
Il faut tout de même reconnaître des mérites à ce mouvement d'avenir curieusement rétrograde. Tout d'abord, il a obligé les pouvoirs publics à se soucier davantage de la protection de la nature (que l'on préfère aujourd'hui appeler l'« environnement » comme on préfère parler d'« espace vert » plutôt que de jardin) comme à prendre un surcroît de précautions à l'égard de l'éner-

gie nucléaire. Accidentellement, l'écologisme aura rendu les partis politiques un
peu plus ridicules encore qu'ils ne le sont
d'habitude. Les politiciens en instance et
angoisse de réélection se croient tenus de
déclarer qu'ils sont au moins aussi verts que
les Verts, qu'ils ont la main verte et le cœur
vert, que leur réputation de vendre de la
salade n'est plus à faire et qu'ils s'éveillent
tous les matins l'esprit plein de coquelicots,
de papillons et de bouse de vache.

Il y a dans l'écologisme une grande vérité :
la Terre est un bien précieux, qui n'est pas
définitivement acquis et dont on ne prendra
jamais trop de soin. Et une grande erreur,
qui est de croire à l'écologisme pour
résoudre ce qui relève, comme le reste, de la
morale et de l'amour du prochain.

Le moi?

« Le moi est haïssable », dit Pascal. Mais ce grand homme était janséniste et voyait dans l'être humain une créature déchue, viciée dans son fond et incapable du moindre bien sans le secours d'une grâce plus facile à perdre qu'à obtenir. Cette doctrine humiliante du péché originel fournissait tous les despotismes en excuses et permettait à l'Église, détentrice du pouvoir d'absoudre, le moyen de faire chanter les âmes. Aussi les humains ont-ils pâti longtemps de cette métaphysique truquée, fondée sur cette idée que l'homme fut créé dans un état de perfection absolue dont il a perdu le bénéfice en opposant sa volonté à celle de Dieu : ce fut la chute, dont il ne parvient pas à se relever. Il suivait de ce préalable catastrophique que le

« moi », siège de la volonté propre, était le pire ennemi de l'homme.

Nous sommes délivrés depuis longtemps de ces billevesées que l'Église elle-même n'ose plus enseigner qu'avec d'infinies précautions oratoires. Du temps de Pascal, on ignorait que la destinée, l'histoire ou, si l'on veut, l'aventure humaine avait suivi une trajectoire ascendante ininterrompue du protozoaire au Collège de France. Aujourd'hui, le « moi » est fort justement considéré comme le séjour inviolable de l'identité personnelle, la citadelle inexpugnable de la conscience et de la volonté individuelles. Il est, à ce double titre, digne de respect et même de vénération.

Cependant, l'on ne se débarrasse pas si aisément de Pascal.

Dans notre langue, le « moi » est effectivement construit comme une forteresse. Le « M » majuscule figure le rempart contre le monde extérieur, le créneau des jambages intérieurs permettant de surveiller les environs. Le cercle du « O » délimite le donjon,

l'espace clos de l'identité personnelle fer-
mée sur elle-même et dépourvue de toute
ouverture par où pourrait s'introduire le
prochain, c'est-à-dire l'ennemi. Quant au
« I », c'est la hampe à laquelle chacun peut
hisser son drapeau.

Dans ces conditions, il est clair que le
« moi » ne saurait laisser ébrécher sa
muraille par l'intrusion d'un étranger quelconque ; clair qu'il est réfractaire par nature
à tout engagement qui pourrait l'amener à
partager le pouvoir qu'il a sur lui-même,
voire à le déposséder complètement ; clair
enfin et lumineux qu'il est impropre à
l'amour, sauf à se renoncer, ce qu'il ne fait
jamais que lorsqu'il « perd la tête », cas peu
fréquent, qui l'étonne lui-même.

Tout cela fait qu'il est haïssable, et que
Pascal a raison.

L'amour vrai?

L'amour étant un élan vital qui porte les êtres – y compris les plus infimes – les uns vers les autres, est donc vrai par nature dès lors qu'il se déclare. L'erreur est de croire qu'il porte en lui quelque chose d'éternel, alors qu'il est passager, qu'il disparaît avec la satiété, et que la durée le fane assez rapidement. Mais, comme il fait partie des ressorts tout à fait primitifs de la nature, l'ignorance où nous sommes encore de sa composition biochimique nous le rend assez mystérieux. Pourtant, il perd peu à peu ses secrets et l'on parviendra bientôt, sans doute, à le localiser dans l'organisme : on a déjà réussi à déceler et à supprimer l'hormone de l'amour maternel chez la souris.

Cependant, le souriceau continue à chercher sa mère quand la malchance l'a fait naître dans un laboratoire.

Karl Marx, ironiste délicieux, nous dit dans *Le Capital* que l'amour et la nature de la monnaie sont les deux choses qui font le plus délirer les hommes. Grande vérité, encore que depuis quelque temps l'on délire un peu moins sur l'amour, l'abus de la chose ayant à peu près vidé le mot de son contenu.

Contrairement à ce que suggère la pratique intensive de l'accouplement, qui suivait le mariage et qui précédera bientôt la puberté, l'amour est d'origine proprement et divinement spirituelle. Il commence par l'admiration, il se poursuit par le don de soi, qui espère mais n'exige pas la réciprocité, il est générosité pure et n'a d'autre unité de mesure que l'absolu, il prospère dans le dénuement, grandit encore dans la souffrance, il mène lentement mais sûrement ceux qui s'aiment de l'existence à l'essence même de leur être, et fait passer dans le temps une vibration d'éternité.

Ce sentiment vient d'un autre monde ; et il y retourne, laissant le reste, avec ceux qui l'auront méprisé, tomber en poussière.

Table des matières

Cet ouvrage a été composé par la
SOCIÉTÉ NOUVELLE FIRMIN-DIDOT
Mesnil-sur-l'Estrée

Impression réalisée sur CAMERON par
BRODARD ET TAUPIN
La Flèche

pour le compte des Éditions Stock
23, rue du Sommerard, 75005 Paris
en septembre 1993

Imprimé en France
Dépôt légal : Septembre 1993
N° d'édition : 6213 – N° d'impression : 6953H-5
54-07-4213-01/2
ISBN : 2-234-02572-9